Di Antonio Dikele Distefano negli Oscar

Fuori piove, dentro pure, passo a prenderti?
Prima o poi ci abbracceremo

Antonio Dikele Distefano

FUORI PIOVE, DENTRO PURE, PASSO A PRENDERTI?

I edizione Chrysalide febbraio 2015
I edizione Oscar grandi bestsellers febbraio 2016
I edizione Oscar Absolute giugno 2016

ISBN 978-88-04-67066-7

Questo volume è stato stampato
presso ELCOGRAF S.p.A.
Stabilimento - Cles (TN)
Stampato in Italia. Printed in Italy

Anno 2017 - Ristampa 4 5 6 7

| librimondadori.it | anobii.com

FUORI PIOVE. DENTRO PURE. PASSO A PRENDERTI?

alla mia famiglia,
Endri,
Primavera Araba,
Benni,
a Fred.

A mia madre che mi ha insegnato ad amare la pioggia.

"Vorrei poter vedere l'Africa brillare come i diamanti
che le vengono sottratti."

"Mi tratti come l'Africa, prendi il meglio di me
e poi te ne vai."

Antonio Dikele Distefano

PLAYLIST

▶ PLAY

Ludovico Einaudi – I giorni
Luchè – La risposta
Tiziano Ferro – Hai delle isole negli occhi
Bob Marley – Redemption Song
Kaaris – Or noir
Ghemon – Fuori luogo ovunque
Soja – Faith works
Fabrizio De André – Dolcenera
R. Kelly – When a woman's fed up
Mecna – Capirai
Club Dogo – Phra
Arisa – La notte
Le luci della centrale elettrica – Piromani
Yann Tiersen – La dispute
113 – Jour de paix
Coldplay – Fix you
Fababy – Fuck l'amour
John Legend – Ordinary people
Boys to men – End of the road
Raige – 7 passi dalla luna
Fababy ft. La Fouine – Mere Seule
Tupac – Changes

Marracash - Polvere
Ludovico Einaudi - Al di là del vetro
La Fouine - Regarde la Haut
Gemello - Venere
Caneda - Angeli da bar
Kid Cudi - The Prayer
The shin sekai - La Peur
Lucio Battisti - La collina dei ciliegi
Co' sang - Quanno me ne sono juto
Lacrim - Tout Le Monde Veut Des Loves
Black M - Pour oublier
Drake - Shot For me
Le luci della centrale elettrica - C'eravamo abbastanza amati
Neffa - Aspettando il sole
Ghemon - Non spegnermi
Canardo - Priorité
Zibba e Almalibre - Senza di te
Nirvana - Rape me
Drake - Practice
Gué Pequeno - Amore odio
Franck Ocean - Novacane
Giovanni Allevi - Back to life
Frank Siciliano - Notte blu
Fabrizio De André - Inverno
Briga - Benvenuta
Levante - Scatola blu
Mezzosangue - Nevermind
Drake - Trust issues
Tiziano Ferro - Salutandoti affogo
Nesli - Noi
Jovanotti - A te
Lucio Dalla - Canzone
Coez - Siamo morti insieme

Lucio Battisti - 29 settembre
Ellebi - Rose Nere (Cover)
Nico Stay - Dead Pony
Jovanotti - Baciami ancora
Lenny Kravitz - Again
Le luci della centrale elettrica - Le ragazze stanno bene
Booba - Avant de Partir
Coez - Vorrei portarti via
Kevin Sharp - No body knows
Jovanotti - Un'illusione
V. Kanye West - Runaway
Stokka e Madbuddy - Fragile
Brasco - Vagabond
Onemic - Il mare se ne frega
Dente - Saldati
Soprano - Je serai la
La Fouine - Tombe pour elle
Booba - Caramel
DiMartino - Cercasi anima
Verdena - Trovami un modo semplice per uscirne
Niccolò Agliardi - L'ultimo giorno d'inverno
Oasis - Champagne supernova
Nesli - La fine
Bob Marley - No woman no cry

II PAUSE

M'INNAMORAI DI LEI PERCHÉ UNA SERA
MI SORRISE, STANDOCI ASSIEME
MI ACCORSI CHE SORRIDEVA A TUTTI

Ludovico Einaudi, I giorni

▶ **PLAY**

Io non l'amavo più da settimane, mesi forse, però ne ero geloso. L'idea che potesse essere felice con un altro non mi piaceva affatto. Non volevo che mi dimenticasse, che si disinteressasse di me, che diventassimo sguardi che s'incrociano nella metro alle sette del mattino.

Ero un po' come quei bambini pieni di giochi che non usano ma non prestano a nessuno. Quelli che, con tono immediato e schietto, dicono "è mio".

"Voi uomini trattate male chi vi ama e vi fate trattare male da chi ama un altro..."

Io però non amavo, addirittura odiavo. Io la odiavo quando uscivamo con il mio migliore amico e lei passava tutto il tempo a guardarlo, a sorridergli, come se volesse dirgli qualcosa.

Qualcosa di cui io non avrei fatto parte.

E io non riuscivo a far finta di niente, a non avere paura di ciò che sarebbe potuto accadere. Quando provavo a dirle qualcosa, mi dava del paranoico.

«Cosa ti viene in mente? È brutto. Se fossi single, con lui non ci uscirei mai!»

Ero passato dall'essere pazzo di lei all'essere semplicemente pazzo.

Che motivo avevo io d'inventarmi tutto? Di trovare un pretesto per litigare?

M'incazzavo perché lui non faceva nulla per evitare quegli sguardi, anzi li cercava. Io non esistevo, non potevo distrarmi un attimo che loro erano già uno di fronte all'altro.

Pensarci mi dà ancora fastidio.

Persi l'abitudine di leggere i suoi messaggi, di dirle "arrivo", "ti va di farlo?", "dove sei?", di uscirci se c'erano anche i miei amici.

Quando ci lasciammo, capii che non ero geloso di lei, ma di loro, perché un altro uomo, senza parole né gesti, la faceva sorridere.

Luchè, La risposta

▶ **PLAY**

Quando una storia finisce rimangono i messaggi, le foto, i tentativi, le parole in sospeso. Pagine della memoria, frammenti di qualcosa che potrei ricostruire in ogni momento con l'immaginazione.

Ricordo che mi arrabbiavo sempre quando mi scrivevi "se vuoi, domani ci vediamo..." perché, quando si trattava di te, per me era un volere sempre. Ricordo che ero felice quando mi dicesti che ti eri fatta Skype, perché un giorno, se avessimo litigato, ci saremmo ritrovati lì, a effettuare l'accesso contemporaneamente, per dirci che ci mancavamo.

E ogni messaggio ha il tuo volto che mi guarda ancora. Adesivi che si staccano perché il tempo ha fatto la sua parte, sabbia sotto i piedi di chi non sa che prima eravamo sassi.

Siamo stati insieme sette mesi, per gli altri tre sono stato *solo* il tuo ragazzo.

Poi ci siamo lasciati.

Da mesi, a mia insaputa, frequentavi un amico.

Un mio amico. Ecco perché ero *solo* il tuo ragazzo, perché il nostro rapporto era *solo* una questione di forma e la nostra vicinanza era *solo* una circostanza fisica.

Ti avevo conosciuta l'estate prima. Avevo chiesto a tuo fratello la tua mail e poco dopo eravamo usciti insieme.

Mi chiamavi *Anto*, non lo sopportavo, io ti chiamavo *Amore*, tu lo sopportavi. Mettevo spontaneamente una virgola dopo ogni frase, non volevo che le nostre conversazioni finissero.

Ma finivano.

Si facevano le ventitré e tu mi davi regolarmente la buonanotte.

"Anto, devo andare, domani ho una verifica. Buonanotte, un abbraccio.

A domani, buonanotte."

Io non dormivo. Rileggevo tutto quello che ci eravamo scritti, avevo "la paranoia da SMS".

«Quando sei nato?» mi hai chiesto un giorno.

Era il nostro secondo appuntamento e ogni domanda sembrava più il tentativo di non restare in silenzio, per non alimentare ulteriore imbarazzo.

Eravamo seduti alla fermata dell'autobus di fronte al bar Fellini in attesa del primo bacio.

«Venticinque maggio, perché?»

«Sei Gemelli.»

«Ed è una cosa importante?»

«Ti ricordi il "Cioè"? Quel giornalino che andava molto di moda qualche anno fa? Nelle ultime due pagine c'era l'oroscopo e c'era sempre una tabella che ti diceva chi sarebbe stato l'amore della tua vita in base al tuo segno. A me usciva sempre "Gemelli" e tutte le mie amiche mi dicevano "no, è impossibile".»

«In poche parole mi hai detto che mi ami...»

«Non l'ho detto io, ma il giornalino.»

La musica, l'insonnia e i nomignoli non erano il tuo forte.

Amavi le stelle: «Loro ci restano sempre a guardare, noi invece lo facciamo solo quando cadono».

Prediligevi *I promessi sposi* e la ginnastica artistica. Erano ore che ti amavo, giorni.

Ti telefonavo in continuazione, avvicinavo lo stereo

al cellulare per dirti che fuori era buio ma che tu c'eri, amore. Ti parlavo con le parole di Tiziano Ferro. Tu però ascoltavi i Tokyo Hotel.

«Vieni qui.»

«No, tu vieni qui.»

«Vieni tu, dài, vengo sempre io.»

Ci incontravamo a metà strada.

Tiziano Ferro, Hai delle isole negli occhi

▶ **PLAY**

Ero già stato a casa sua, ma quella sera rimasi a cena. Mangiammo tutti insieme, suo padre mi fissò per tutto il tempo, la madre mi riempì di domande. Quella non fu una cena, ma un interrogatorio a tutti gli effetti.

"Antonio, che scuola frequenti?"

"Antonio, hai già scelto la facoltà?"

"Antonio, che fai per vivere?"

Odio la domanda "che fai per vivere?", come se fosse il lavoro a determinare le nostre vite.

Il lavoro in realtà le nobilita.

Fossi stato più sfacciato, quella sera avrei risposto: "Per vivere amo sua figlia".

Non lo feci.

Ci sono ragazzi che vivono ogni giorno della propria vita, basandosi su ciò che potrebbe piacere o non piacere ai propri genitori e io, per fortuna, ai suoi piacevo.

La madre indossava senza problemi i vestiti della figlia e, non fosse stato per le rughe che non nascondeva con alcun trucco, le avrei dato trent'anni. Il padre era un tipo alla mano. Un uomo molto moderno, innamorato, ambizioso, giovane, una persona capace di dirigere i propri pensieri verso ciò che voleva davvero.

Avrei voluto essere un padre come lui.

Decisi a loro insaputa che, se avessimo avuto un figlio, sarebbe nato maschio e che si sarebbe chiamato Erik. Immaginavo un bambino unico al mondo, diverso da tutti gli altri, ma altrettanto meraviglioso. I bambini mulatti sono bellissimi e nostro figlio sarebbe stato così, con il mio stesso sangue, ma un altro colore.

Bob Marley, Redemption Song

▶ **PLAY**

Io credo che il mondo sia un pianoforte e che dai suoi tasti bianchi e neri esca una dolce melodia. Due mani che si toccano, come nella pubblicità dei Ringo.

Non sono mai stato d'accordo con chi dice "al mondo siamo tutti uguali".

Mio papà invece diceva: "Siamo tutti alla pari, ognuno di noi è uno zero perché lo zero non è un numero ma un punto da riempire, sta a noi decidere come...".

E continuava: "Prima che arrivassero i bianchi in Africa, noi eravamo cittadini. E anche se non sapevamo mangiare con le posate, non conoscevamo la fame. Oggi invece siamo solo scimmie clandestine, che vengono nel "loro" paese a rubare il lavoro quando loro per primi ci hanno rubato la dignità. Un giorno non ci saranno più gli stranieri e se la prenderanno con gli omosessuali, gli obesi, i meridionali, i comunisti, le donne, i disoccupati. E quando non resterà più nessuno, se la prenderanno con loro stessi perché capiranno di meritare la solitudine".

Papà meritava un abbraccio.

Parlava sempre dell'Africa, di Sankarà, Lumumba, Mandela, Neto.

Quand'ero piccolo diceva: "Tu dovrai diventare ministro dell'Istruzione in Angola, il mondo ha bisogno di te!".

Credo di averlo sempre deluso, lui voleva un figlio laureato e io all'università non ci ho mai pensato, voleva un figlio indipendente e invece io ero solo un testardo. Ma non mi ha mai rimproverato nulla.

Non dimenticherò mai le sere in cui mi caricava sull'Opel e mi portava in giro. Mi raccontava storie fantastiche. Era come se fossi già stato sotto gli edifici coloniali e al porto della città vecchia di Luanda, nei locali notturni di Osu e al mausoleo di Accra, ai piedi dell'oleodotto di Kinshasa. Lui mi ci portava in macchina.

Kaaris, Or noir

▶ **PLAY**

Credo che i colori li abbiano inventati per rendere più vivace il mondo, non per differenziare le persone.

Papà con tono scherzoso diceva: "Ognuno di noi è un patrimonio etnico. Siamo testimoni di un cambiamento. Anche grazie a noi, l'Italia diverrà un paese multiculturale".

Non potevo dargli torto.

Noi eravamo la prima famiglia di neri del quartiere, io ero l'unico bambino nero della classe, papà l'unico della sua ditta e probabilmente il primo. Eravamo unici, ma per me quello era uno svantaggio.

Da bambino non capivo il termine "sporco negro".

Mi lavavo tutte le sere prima di dormire, mamma era esigente su tre punti: scuola, igiene, non provare a fumare o a bere alcolici.

Per il terzo punto mi chiese pure di fare una promessa, che tuttora è intatta. "Se no ti ammazzo" mi diceva sempre.

Non bisognava sgarrare.

"Antonio, vatti a lavare."

"Ti sei lavato i denti? Hai lavato pure la lingua vero?"

"Smettila di sporcare lo specchio quando ti lavi i denti! Hai cambiato i calzini?"

Un sergente di ferro, a volte una vera e propria tortura.

Avessi avuto, a quel tempo, la testa che ho oggi, se qualcuno mi avesse dato dello "sporco negro", avrei risposto: "Guarda, chiamami come vuoi, puoi chiamarmi pure 'Gianduiotto' se ti fa piacere, però non utilizzare 'sporco' prima di nessun nomignolo perché se poi mia mamma ti sente mi mena".

Ghemon, Fuori luogo ovunque

▶ PLAY

Le prime voci che ho sentito quando son nato erano italiane, la mia prima parola è stata in italiano, ho imparato a scrivere in stampatello e poi in corsivo in italiano, a leggere in italiano, ad amare la vita in italiano, a odiarla nella stessa lingua.

In classe, alle elementari, mi chiedevano: "Ma ti senti italiano?".

E io rispondevo: "Cosa vuol dire?".

Perché quella domanda non la facevano a qualsiasi altro mio compagno di classe? Perché proprio a me? Io non mi sentivo né italiano, né negro, come molti mi chiamavano, io mi sentivo incompreso, una divisione.

Volevo solo essere chiamato Antonio e che mi chiedessero: "Ti va di giocare?".

Nei disegni mi ritraevo rosa come tutti i bambini, non perché rifiutassi la mia diversità, ma perché allora mi sembrava normale.

Tornavo a casa e piangevo in italiano.

Una volta, una compagna di classe che mi piaceva, mi disse: «Se tu fossi bianco, saresti più bello».

La sera, davanti alla televisione, dopo mangiato, prima che mio padre mi mandasse a dormire, lo raccontai a mia mamma e lei sorrise.

«Guardami e dimmi: la mamma com'è? Bella o brutta?»

«La mamma è bellissima!» risposi senza pensarci due volte.

«Ecco, tu mi somigli tantissimo.»

In quel preciso momento capii che non volevo né essere italiano, né essere più bello. Io volevo semplicemente essere come mia madre che non era una donna, ma un miracolo. Era un miracolo il fatto che riuscissimo a cavarcela ogni giorno, a tirare la fine del mese, perché lei ci teneva uniti senza perdersi di spirito, senza perdersi mai, nonostante le difficoltà.

In famiglia i soldi sono sempre mancati.

Babbo Natale non si è mai visto, la Pasqua era un giorno qualunque, l'estate la passavamo a casa e, le poche volte che andavamo al mare, a noi sembrava di catapultarci negli Stati Uniti e fare sosta al Grand Canyon per poi buttarci a testa in giù come Pinelli. In modo da non aver più pensieri.

Non dovevo fare domande, ci pensava già la società a metterci a disagio.

Camminavamo tantissimo, da scuola a casa, dal mercato dell'usato a casa degli zii, dagli assistenti sociali alla stazione dei treni.

Raccogliere pomodori nel Sud Italia, e insulti al Nord.

Le file in questura.

Le attese infinite al centro immigrati.

«Avete il permesso di soggiorno, vero?»

Perché ci voleva un permesso, pensavo.

Un foglio di carta che mi permetteva di restare sul suolo italiano in cui c'era scritto "nato a Busto Arsizio".

Soja, Faith works

▶ **PLAY**

«Quando sei nato?» mi chiese un giorno. A me venne subito in mente la risposta di Enrico, un amico, la prima volta che glielo domandai.

Eravamo all'Arco della Pace e avevamo sedici anni.

«Sono nato nel settembre del '98. Quando ero in prima elementare, siccome il banco era troppo alto per me, chiamarono un fabbro che, davanti a tutti gli altri bambini, gli tagliò le gambe per adattarlo alla mia altezza. Fu un'umiliazione enorme, la prima e la più grande, perché per la prima volta forse realizzai che davvero ero diverso e che mi mancava qualcosa. Quel giorno però decisi di nascere, perché quello ero io, e avrei dimostrato che, per una cosa in meno, ne avevo mille in più.»

Enrico è alto 107 centimetri e ha la mucopolisaccaridosi.

Fabrizio De André, Dolcenera

▶ **PLAY**

"Come facevi a stare con uno così?"

Odiavo il fatto che prima di me tu fossi stata di un altro, che non fossi più vergine. Io per te non ero nemmeno la terza volta e forse neanche l'ultima.

"Ti amo perché, quando sono sbronza, sei la prima persona a cui penso."

Io ero astemio ed ero talmente innamorato che, quando me lo dicevi, pensavo: "Sono anche la seconda, vero?".

Volevo toccarti il cuore in ogni momento della giornata, come il tuo reggiseno, proteggerti dai venti gelidi, non essere fragile come gli edifici abusivi ai piedi del Vesuvio. Ma non ci riuscivo.

«Abbiamo una cosa in comune.»

Annuivo, in comune avevamo il fatto che, se avessimo voluto, avremmo potuto essere felici separandoci, che se non fosse stato per me tu non mi avresti più risposto, eri troppo orgogliosa per farlo.

«L'amore non finisce, si trasforma. Il sesso svuota, l'amore riempie.»

Già, l'amore riempie di ferite e ci trasforma nei nostri peggiori nemici, pensavo.

A chi ti chiedeva "come va con Antò?", rispondevi "Anto non va da nessuna parte".

Ti amavo quando rispondevi così. Sorridevi agli autisti, ai professori delle medie che non ti riconoscevano, agli sconosciuti, ai bambini sui bus affollati d'estate, alle cassiere, a me.

Volevi farlo sempre senza protezioni. "Da chi ci dobbiamo proteggere?" dicevi.

Le tue tanto attese mestruazioni, la paura di avere un figlio inatteso. Nonostante tutto, sorridevi.

Ti amavo perché quando ti dissi «voglio essere felice», rispondesti «io lo sono già».

Sei un posto di blocco per me, come quando mi dicesti «noi due ci siamo conosciuti a maggio, che in inglese si scrive *may*, un motivo ci sarà, no?».

Chilometri di marciapiedi, la vita di provincia, le panchine di piazza del Popolo, il liceo classico che odiavi tanto, ti hanno portata via da qui.

Volevo essere a tutti i costi il tuo ultimo uomo dimenticando che sarebbe stato meglio che fossi tu la mia ultima donna.

"Abbiamo una cosa in comune" dicevi. Ti riferivi al fatto che entrambi volevamo scappare dalle nostre vite. Annuivo.

In comune avevamo il fatto che, se avessimo voluto, avremmo potuto essere più felici separandoci.

R. Kelly, When a woman's fed up

▶ **PLAY**

Fu un inverno freddo, la nostra relazione ne risentì. Con la neve, ogni cosa cambia, cambiammo pure noi. Loro due si guardavano spesso. Si piacevano.

A ogni sguardo, lei rispondeva con un sorriso che sussurrava qualcosa. Qualcosa di bellissimo.

Non riuscivo a far finta di nulla. Quando lei se ne accorgeva, mi diceva "che hai?".

Pensavo "non sei qui".

Mi chiamava *Amore* non lo sopportavo.

La chiamavo per nome, lei lo sopportava.

Ero più distaccato ma continuavo a dire che non c'erano problemi, che le cose si sarebbero risolte col tempo, che ero io a essere semplicemente paranoico. Vivevamo una storia già finita in una situazione insostenibile. Al solo pensiero che lei potesse coronare i suoi sogni con un altro, mi passava la fame. Le iniziative per vederci le prendeva sempre lei, lo stesso valeva per i baci e il tenersi per mano.

Non trovavo il coraggio di lasciarla e nemmeno quello di tenerla. L'ultimo messaggio diventava inevitabilmente il penultimo. La verità era che per sentirmi forte avevo bisogno di qualcuno vicino. Qualcuno disposto a subire le mie mancanze. Rimuovevo volontariamente l'eco delle promesse che c'eravamo fatti il giorno in cui avevamo deciso di non deluderci più.

Quando litigavamo, lei si confidava con lui. Credo che riuscisse pure a farla ridere. Mi sentivo incompreso, come un negozio aperto ad agosto, in pieno centro, a Milano.

Eravamo staccati.

Ormai tra di noi si erano creati troppi vuoti. E solo grazie alle ricadute capisci che la differenza tra spazio e vuoto è che il primo lo riempi e che nel secondo ci entri e non ne esci più.

Come una libreria in cui mancano alcuni libri dai loro posti. Uno cerca di sostituirli, ma tutta la fila inevitabilmente viene giù.

Noi c'eravamo rassegnati, convinti che, di mettere in ordine quei libri pieni di polvere, non ne avevamo più voglia. Erano testi sulle vacanze in famiglia, manuali del perfetto genitore, liste nozze, libri contabili.

Avrei tanto voluto essere la pagina che leggeva prima di dormire, il soffitto a cui faceva tutte quelle domande, ma intimamente sapevo che non ce l'avrei mai fatta, perché i libri non hanno timore. Non seguono con gli occhi chi li chiude o li abbandona, non sentono la mancanza di chi li ha tenuti a marcire in garage per anni.

Io sì.

A gennaio ci lasciammo. Il giorno di San Valentino effettuai l'accesso su Skype, ma lei quella sera non la passò a casa.

M'innamorai di lei perché una sera mi sorrise, standoci assieme mi accorsi che sorrideva a tutti.

Mecna, Capirai

▶ PLAY

Dopo che ci lasciammo, non la vidi più per molto tempo. Quando la incontrai di nuovo, lei si voltò dall'altra parte, fece finta di non conoscermi, come se fosse stato un pericolo guardarmi, come chi dorme nella stessa casa ma in due letti diversi.

Non feci nulla. Mi ridussi a guardarla passare, come nelle sfilate, o quando si osserva il sole dai sedili anteriori muovendo il capo da una parte all'altra, in silenzio, quando le porte del treno sono già chiuse e tu sei sul penultimo scalino del binario, quando, in una domenica piovosa di ottobre, non ti resta che camminare perché la macchina è dei tuoi, e il bus lo vedi solo a duecento metri dalla fermata, mentre ti passa davanti, incurante dei tuoi ritardi.

Fece finta di non conoscermi, di non conoscere le mie cavità, i miei sospiri, i miei veri odori, le mie inquietudini, le nostre battaglie. Aveva la stessa espressione di quando la incontrai la prima volta, le stesse scarpe. Converse rosse.

Si voltò dall'altra parte, ignorando il fatto che io l'avrei salutata, abbracciata, che io ci avrei fatto di nuovo l'amore, l'avrei accompagnata tenendola per il cuore ovunque, anche lontano da me, giuro.

Si trattava di una guerra che avevo perso molto tempo prima, senza saperlo.

Capii che "mi mancherai" significava "un giorno non ci sarai più per me" e non "nonostante tutto, ti penserò sempre".

Quel pomeriggio di ottobre, ignorandomi, mi disse tutto, rispose a tutti i miei messaggi, distrusse tutte le mie speranze. Io, invece, cercando il suo sguardo, nascosto nel suo volto inespressivo, provai a dirle che non l'avrei mai lasciata sola sulla banchina. Io al posto suo avrei chiuso subito le porte di quel treno, con lei dentro però.

Io avrei sostituito quel "mi mancherai" con un "quando vuoi passa a prendermi" e avrei aggiunto "anche di domenica mattina".

Io l'avrei portata ovunque, anche lontana da me, giuro.

Club Dogo, Phra

▶ PLAY

Loro stavano ormai insieme da mesi e, tra me e me, pensai a questa lettera per lui.

"È come se gli amici veri avessero accusato la crisi insieme alle industrie. L'amicizia costa meno, come gli stabilimenti tessili ceduti ai cinesi, i trasporti pubblici nel Sud Italia.

Come abbiamo fatto a perderci di vista? Ravenna non è mai stata una metropoli. Tu dicevi che finiva a Porta Adriana. Odiavi vivere qui. Oggi divisi come Israele e Palestina, ieri solo da qualche fermata dell'autobus. Sei uscito di fretta dalla mia vita, lasciando dietro di te una scia di disordine, come quando si è in ritardo e si lasciano i bicchieri sporchi nel lavello.

Qualche volta ho pure pensato che li avresti lavati al ritorno. Sono ancora lì.

Proprio tu che dicevi in continuazione: 'Non abbandonare tutto per una donna che ti abbandonerà quando dovrà scegliere tra te e tutto'.

Penso a quando abbiamo imparato a contare a mente, ad allacciarci le scarpe, a parlare la lingua degli orologi analogici, a fare la firma dei nostri genitori. Noi, Tupac e il ritmo delle stagioni. Sognavamo già un futuro lontano dalle nostre periferie, dalle case popolari che non ci rappresentavano, ricordi?

Mi chiedo se sogni ancora, se hai perso il vizio del fumo o se l'hai sostituito, se hai ancora così tante cose da dire, come le suole consumate, se io sono il tuo 'avevo un amico'. Ora sono solo un letto da rifare, uno spazio da stipare, una questione di tempo. Tua madre avrà chiesto di me e tu le avrai detto che ho molto da studiare, che non ho più tempo, non abbiamo più occasioni per vederci. Io, alla mia, ho detto la verità: 'Ha preferito lei, alla nostra amicizia'.

Non ho aggiunto altro.

È che io t'immaginavo così: c'eri anche se compivo gli anni ad agosto.

Non proverò a sostituirti, perché dimenticare una persona sostituendola con un'altra è come fotografare il sole e sperare che di notte ci scaldi. O quando c'è la neve e ogni passo è una traccia che ha un'identità, un istante che ci ricorda dove siamo stati.

Eravamo nati vecchi, figli di una vita piena, giocavamo senza conoscere a fondo la gioia e, anche se avevamo fame di mezzi, risorse, possibilità, non pretendevamo niente.

Avevamo il privilegio di essere adolescenti e ci bastava.

Disprezzavamo gli intellettuali ma desideravamo essere intelligenti.

Ricordo quegli anni costellati di periodi positivi, la sensazione che tutto fosse accessibile, più facile, umano, come, di notte, i parcheggi vuoti dei supermercati aperti ventiquattr'ore. Potevamo stare ovunque, perché noi non avevamo bisogno di tutto, ma di spazio, per poter correre, anche se per poco, lontano dalle difficoltà economiche. Come quando le prof, nei primi mesi, aggiornavano i registri, perché qualcuno aveva deciso di non presentarsi più, di lasciare la scuola per un lavoro, per un contratto a tempo indeterminato, per poi sparire, così hai fatto tu. Insieme al lavoro nelle industrie, lasciandomi la crisi."

Quanti amici si perdono nel percorso della vita, si prendono direzioni diverse e mai nessuno che saluta.

Arisa, La notte

▶ PLAY

Tu per me sei il segnalibro che resta a pagina quindici, nonostante abbia finito di leggere il libro da un pezzo. La sveglia che imposto alle sei del mattino per andare a scuola, che d'estate non disattivo. L'antivirus che ogni dieci giorni appare sulla sinistra del desktop per ricordarmi che bisogna fare l'aggiornamento e io semplicemente clicco su "ricordamelo tra dieci giorni".

Quante persone servono per dimenticarmi?

Te lo chiedo perché io proprio non riesco a dimenticare te, mi guardo attorno e tutta questa gente non ha nulla d'interessante, non ha nulla da dire.

E come faccio a non pensarti quando tutti mi chiedono di te? Quando per convincermi che non ti cercherò più ti cancello dalla rubrica, ma so il tuo numero a memoria?

Io dormo poco, sai? E quando mi sveglio non sono mai sereno, perché sono le sei di un giorno d'estate, e vorrei tanto poter cliccare su "ricordamela tra dieci giorni".

Le luci della centrale elettrica, Piromani

▶ **PLAY**

Noi eravamo televisioni accese alle quattro del mattino, che sussurravano qualcosa, che illuminavano le strade dalle finestre socchiuse delle case al primo piano dei condomini altissimi.

Avevamo i piedi per terra.

I tuoi occhi erano film bellissimi, perché per le serie televisive migliori bisogna restare svegli, assieme agli spacciatori e ai fornai.

Ti accarezzavo la testa mentre dormivi. Avevi una pelle bellissima d'estate.

"Diventerò come te..." Lo dicevi con soddisfazione.

Mi chiedo chi sarei oggi se stessimo ancora insieme.

Noi rinchiusi nelle nostre stanze a fare l'amore con i vestiti, a rinunciare alle maschere della vita di tutti i giorni, indossavo i tuoi orgasmi mentre ansimavi.

Vorrei che fossi qui per abbracciarti, perché sei più bella adesso, una donna, non più la mia ragazza, piazza Caduti dall'Alto, il cielo dal basso, le tue labbra viste da qui.

È che mi manchi, come i controllori quando ho il biglietto, come il posto vicino al finestrino nei treni affollati, e io non so dove vado se non ci sei tu ad aspettarmi. Non so se vado avanti o se giro su me stesso.

Durante un viaggio un amico mi ha detto: «Chi non ha una meta, non si può perdere». Il fatto è che io so dove sono, ma non so dove sei.

Yann Tiersen, La dispute

▶ **PLAY**

Ora per me sei come i rapporti difficili da gestire, un viaggio in treno senza musica.

Io quando m'innamoro, sbaglio sempre, perché sbaglio a innamorarmi.

"Ma tu lo sapevi che la memoria olfattiva è l'ultima cosa che perdiamo?"

Io ero convinto fosse la speranza, che fossi tu l'ultima cosa che avrei perso. Un insieme di frasi fatte, fatte per te.

Solo col tempo ho capito che ero in torto quando litigavamo e per difendermi dicevo: "Io non ti ho fatto nulla...".

Dovevo fare qualcosa.

Tenerti, non provare a riprenderti. Difenderci, non difendermi. Io non ti capivo quando non parlavi, quando non mi parlavi. Quando, per giustificare i tuoi silenzi, dicevi: "Ho le mie cose...". Quando scrivevi messaggi al telefono mentre ti parlavo.

"Con chi messaggi?" pensavo.

Io sogno un mondo diverso, con una qualità di vita migliore, noi leghiamo la nostra vita al lavoro e releghiamo le cose importanti, quelle essenziali, ai momenti in cui siamo stanchi.

Ma quando ti sei stancata, te ne sei andata. Da lui. Quindi io ero importante?

Ricordo bene quando mi hai lasciato, nonostante tu dica "ci siamo lasciati". Quando, vedendoti con lui, persi ogni speranza.

Per me non eri tu.

Quando in stazione, in mezzo alla folla, mi voltai di scatto perché avevo sentito il tuo profumo.

Avevi ragione, io ti avevo persa già da un po'.

"È un dolore strano, sai? Morire di nostalgia per qualcuno che non potrai più avere."

Io come i figli costretti a vivere cercando di capire gli adulti e i loro sentimenti confusi e contraddittori, non ti ho mai capita. Avevi sempre una risposta pronta, ma mai una soluzione. Ti mostravi vissuta, volevi farmi credere che non avevi paura di perdermi, che i "per sempre" ti facevano schifo, che ormai eri una donna che poteva benissimo concedersi il lusso di guardare altrove.

"Ho capito solo ora quanto eri piccolo. Gli esseri umani sono grandi quanto i sogni che provano a realizzare."

Lo dicesti tu.

Eri bellissima quando ancora ci credevi, lo sei ancora adesso, cosa credi?

Ricordo i nostri primi giorni, quando mi parlavi, ti guardavo le labbra baciate dal sole ed ero fottutamente geloso perché avrei voluto baciarle io.

Ma tu che faresti se la persona a cui vuoi scrivere volesse scrivere a un'altra? Nonostante tutto, riesci a farmi sentire vuoto in una vita piena d'impegni. Tu al posto mio che faresti? E dove fuggo se tu sei la mia destinazione?

La destinazione dei miei pensieri, dei messaggi che non invio e cancello. Passo sotto casa tua e non ti affacci mai, dove sarai? Sono arrabbiato con me più che altro, per le cose che non ho avuto il coraggio di dirti quand'ero poco sicuro di me, perché ho provato e provo ancora a difendere l'amore che ci ha fatto incontrare. L'amore da cui siamo scappati.

Anche a me fanno schifo i "per sempre". Preferisco "per tutta la vita".

Io ti amerò per sempre e ti odierò per tutta la vita.

"Devo farmene una ragione" mi ripeto, prima di uscire, prima di chiudere gli occhi, prima di farmi i cazzi miei.

Sei ai primi giorni di un'altra storia e, probabilmente, prima di questa hai pure scopato con qualcun altro pur di non pensarmi. L'ho fatto anche io, ma poi ho pianto.

Penso a quando vedrò la vostra foto insieme su Facebook tra le persone che potrei conoscere e penserò "che potrei conoscere?". Perché quando ti vedo, il solo pensiero che tu non mi verrai incontro equivale a perderti ancora una volta, rivivere una vita che pensavo lontana, guardare di nuovo la finale persa col Liverpool ai rigori.

Uscivi prima tu dalla doccia. mettevi giù tu il telefono, ti staccavi tu quando ci baciavamo.

Il fatto è che quando tu non ci sei, io non ci sono per nessuno. Come puoi pretendere che io mi basti, se non sono bastato a te che eri tutto per me? Non puoi pretendere che me ne faccia una ragione, se l'amore di per sé non è una scelta razionale.

Odio dormire da solo e non riuscire a dormire. Sei un posto di blocco per me.

Leggevi i miei scritti e dicevi: "Sbagli i tempi, qui ci va l'imperfetto".

Li rileggo in tua assenza, oggi che non ci sei, e penso che avevi ragione, che oggi qui è imperfetto.

Io ho iniziato a scrivere per te, per le ore passate in camera mia immaginandoci fuori, in piazza del Popolo, mano nella mano, per noi. Per le volte che ho pensato di portarti a Torino solo per salire sulla linea che porta a Paradiso.

Non m'interessa se non mi ami più, perché io ti amo ancora. Ma ti dimenticherò, come le salite al ritorno, i ripari nelle città costruite in verticale, le promesse fatte dai politici in campagna elettorale, i sogni, come ha fatto il grande pubblico con i Sottotono. Io non ho smesso di credere nel destino, nei "per sempre", nelle cose fatte in due, nell'amore che ti cambia la vita. Ho solo smesso di credere che tu avresti potuto essere tutto ciò. E mi odio ogni volta che ti vedo, perché c'è un abisso tra le cose che ti vorrei dire e quelle che invece ti dico.

Amare qualcuno che non ti ama è un po' come ritrovarsi in una via senza uscite, senza cartelli stradali, morire senza provare dolore. Perché al dolore ci si può ribellare, ma al niente no, capisci?

Tu cadi in piedi, io ai tuoi piedi.

113, Jour de paix

▶ **PLAY**

Io non ero felice, non lo ero affatto, sorridevo solo di fronte a un obiettivo e a chi mi chiedeva per educazione se le cose andavano bene. Rispondevo di sì, sempre, per abitudine, senza ascoltare, perché la vita non era fatta di cose, ma di casi. Come noi due che c'eravamo rivisti al Kojak, una sera in cui non dovevi venire.

"Perché di domenica piove sempre?"

Ero schiavo delle tue domande, delle espressioni che correvano lungo il tuo volto, parlavi per non restare in silenzio, dicevi: "A me i silenzi fanno paura, perché quando non senti la mia voce senti i battiti del mio cuore".

Pensavo: "Forse il cielo è come me, dice di stare bene per convincersi di star bene e piange solo quando tutti sono a casa".

"Ci sono notti bellissime che dormono da sole" pensavo.

Perché ti amavo così tanto? Odiavo i lunghi silenzi, le canzoni attribuite agli episodi spiacevoli, io che mi guardavo le scarpe quando eri a due passi.

Avevi ripreso a fare le cose che mi davano fastidio. Fumavi, uscivi tutte le sere, mi chiamavi per nome. Perché ti amavo così tanto? Che se ti fossi ripresentata sotto casa mia senza preavviso, avresti rimesso le cose al proprio posto, come le felpe che hai dimenticato in camera mia e hai ripreso dopo mesi.

... le vere stronze sono quelle che ritornano quando ti rifai una vita...

Io ero come l'Italia nel dopoguerra. Come i soldati disarmati dai tedeschi nel '43 mentre tu spingevi per la scissione.

I tuoi erano sbalzi d'amore.

Ero il tuo passatempo ma per me il tempo non passava.

A me ci hai mai pensato?

Ti ho sempre trattata con un sorriso, anche quando, finita l'ennesima Winston, mi dicesti: «Questa non sono io, non ti amo più, non possiamo stare insieme».

L'avevi deciso per entrambi, come i politici, come chi imbocca un incrocio senza dare la precedenza.

Perché ti amavo così tanto?

Per le volte che mi hai reso una chiamata senza risposta, un messaggio cestinato, per le notti che mi hai dato la buonanotte quando non riuscivo a dormire.

Ho creduto che ce l'avremmo fatta, che non ci saremmo estinti, che l'amore, almeno il nostro, fosse una riserva naturale, lontana dall'asfalto e dagli incroci che avrebbero potuto dividerci. Che stupido che sono, nemmeno le Torri Gemelle sono crollate insieme.

Perché ti amavo così tanto?

Coldplay, Fix you

▶ **PLAY**

A volte ti ci ritrovi dentro anche se ti eri promesso che a te non sarebbe mai potuto accadere. Quant'è facile parlare? È troppo comodo dare solo consigli. Ci sono cose, sensazioni, che il mondo non capirà, che devi tenere per te, che semplicemente devi risolvere da solo, mostrandoti sereno, anche quando fuori piove. Perché non puoi essere felice ed essere il più forte, nella vita tocca scegliere.

Fababy, Fuck l'amour

▶ **PLAY**

Ricordo che per due giorni non mi rispose. Amavo parlarle, essere il luogo in cui andava a confidarsi prima di dormire. Riusciva a farmi sentire considerato.

Non potevo fare altro che aspettare, e aspettai.

Non dovevo più scriverle.

Quando alla fine mi scrisse "mi è mancato parlarti", mi accorsi che mi ero immaginato un allontanamento che non esisteva.

Noi uomini spesso ci dimentichiamo che non siamo noi a scegliere le ragazze, ma loro.

John Legend, Ordinary people

▶ **PLAY**

Le storie d'amore di oggi si conservano come la batteria dell'iPhone. Le amicizie durano quanto un contratto di lavoro tramite agenzia e la felicità quanto la ricreazione alle superiori.

Gli autobus urbani colmi di persone mi fanno sentire dannatamente solo. Di rado, nel tragitto da casa a scuola, incontro qualche conoscente con cui conversare.

Ho sempre avuto pochi amici e tanti conoscenti, tante ragazze e pochi amori.

Nella mia città, per molti, l'amore è una convenzione sociale, ci si fidanza per adeguarsi alle mode. Va tutto troppo in fretta e se provo a fermarmi la vita prosegue da sola.

Rivoglio il 3310, le mie scarpe da calcio rosse a tredici tacchetti della Diadora, che mettevo anche per fare la spesa.

Rivoglio gli amici che vengono a suonarmi sotto casa, quelli che, se non ci sei alle quattro, ripassano alle cinque. Oggi, se provo a staccare Facebook e WhatsApp, chi mi cerca più? Nei social network puoi essere chi vuoi e spesso mi dimentico di essere "Antonio". Non voglio fare il nostalgico, a me Facebook piace, WhatsApp, Twitter, Instagram mi fanno sentire più in contatto con le persone, sono portali che riducono la distanza in un mondo colmo di chilometri. Non mi piace però come sono diventato io, come siamo diventati noi, che abbiamo sostituito le conversazioni in piazza con le chat condivise, le scritte sui muri con i post in bacheca, gli *eccessi* con gli *accessi*.

Rivoglio il Milan di Savićević, avere quindici anni e guardare con ammirazione i diciotto, scriverti senza avere il sospetto che tu possa solo "visualizzare".

Rivoglio mia madre, ed essere convinto che i miei genitori non si possano dividere. Quand'ero piccolo e sentivo le maestre parlare di divorzio, non capivo cosa significasse veramente quella parola. Ora lo so.

Oggi si sa solo amare in tempi sbagliati, si abortisce come se fosse scontato fare figli; le ragazze di dodici anni perdono la verginità, come capita con gli accendini nelle mani dei proprietari distratti.

Ricordo che, quando avevo dodici anni anch'io, alla domanda "sei vergine?", rispondevo "no, Gemelli".

Boys to men, End of the road

▶ **PLAY**

La cosa più infantile che un bambino possa fare è crescere e credo che sia la cosa più stupida che io abbia mai fatto.

È vero che non si piange nello stesso modo perché le motivazioni sono diverse. Però, se è vero che nel cuore di chi ama il tempo non passa mai, vorrei tanto essere felice e sorridere come quando in tele passavano la pubblicità della Coca-Cola e pensavo "Anto, manca poco al Natale".

Da piccolo camminavo guardando sotto tutte le macchine perché avevo il timore che un gatto schizzasse fuori e mi graffiasse, non mi preoccupava il fatto che qualcuno potesse vedermi, giudicarmi, lo facevo e basta.

Crescendo, invece, ho smesso di essere me stesso, perché tutti giudicano con presunzione quello che fai e nessuno chiede "come mai?".

Quando cresci, non piangi più nello stesso modo.

Quando maturi, usi le parole che pesano di più, distruggi le cose belle prima ancora che nascano, per paura di soffrire, tendi la mano solo a chi porta la tua bandiera, a chi fa parte della tua fazione politica o ha la tua stessa fede calcistica.

Mamma diceva sempre che nella vita bisogna imparare a rinnovarsi tenendo in considerazione tutti ma filtrando ciò che ci viene detto, perché senza coscienza si può solo invecchiare.

A me hanno sempre detto che non si può amare una persona dopo due mesi. Ma mia madre mi ha amato dal primo giorno.

Mi hanno sempre detto che soffrire aiuta a crescere, ma mai che poi cresci soffrendo.

Mi hanno anche detto che l'amore a distanza non è possibile, perché due persone lontane non possono amarsi. Io ho sempre creduto il contrario perché l'amore non sta negli occhi, ma nel cuore.

Mi han detto che bisogna rispondere colpo su colpo, che se tratti come ti trattano non sbagli, ma il fuoco non si spegne con il fuoco ma con l'acqua.

Raige, 7 passi dalla luna

▶ **PLAY**

Quando conosco una ragazza nuova, che però non mi considera, mi tornano in mente le medie, i tempi in cui facevo di tutto per farmi notare, ma non ottenevo nulla.

Non ero timido, mi mancava semplicemente un piano. Prima era più difficile conquistare, se volevi far capire a una ragazza che ti piaceva dovevi mostrarle un vero interesse, riempirla di attenzioni. Ora invece la riempi di notifiche e quindi non conquisti ma "invadi".

Alle medie ero innamorato di Sharon.

Durante le lezioni la guardavo per ore. Arrivavo a casa e fissavo la foto di classe promettendomi che mi sarei confessato presto, vivevo uno di quegli amori che non riveli a nessuno e che ricordi per sempre.

Era bella, intelligente, desiderata da tutti e questo mi dava fastidio. In prima media ero talmente sfigato che, per attirare la sua attenzione, la prendevo in giro.

Una mattina, durante la lezione, mi scrisse un biglietto: "Ti vuoi mettere con me?".

Risposi a matita: "Sì".

Poi, d'impulso, ignorando la professoressa e i compagni, le chiesi: «Ti hanno mai detto di no? Tu lo fai ogni volta che mi guardi».

«Anto, non ho proprio capito.»

«Nulla, nulla, scherzavo.»

Da due giorni ero diventato suo vicino di banco e non ero entusiasta della cosa, perché c'era una netta differenza tra stare con lei e starle vicino, e io odiavo il fatto che non lo scelse lei, ma la prof d'italiano.

Fababy ft. La Fouine, Mere Seule

▶ PLAY

La sveglia suonava alle cinque e mezzo e, nonostante tutto, arrivavo sempre in ritardo in classe perché l'autista dello scuolabus accompagnava prima i bambini delle elementari allungando il percorso.

Per sei giorni alla settimana, un'ora e venti ad andare e un'ora a tornare; durante il tragitto io rimanevo da solo, in disparte, con le cuffie nelle orecchie.

Quando lo scuolabus arrivava a destinazione, tutti scendevano e correvano. Io camminavo. Ero ansioso di vedere Sharon, ma l'ansia mi paralizzava.

La scuola non mi piaceva affatto, mi stressava, tutti mi squadravano dalla testa ai piedi, pure i professori, forse perché non sorridevo alle loro battute. Non sopportavo la loro aria autorevole.

Quando facevano l'appello, rispondevo "sì".

Se avessi risposto "presente", avrei mentito.

Durante le lezioni scrivevo, fissavo il crocifisso, l'orologio appeso al muro, guardavo Sharon.

I miei compagni erano tutti più preparati di me, io non ottenevo risultati e, quando m'impegnavo, raggiungevo a malapena la sufficienza. Memorizzavo le canzoni di Ghemon Scienz e non riuscivo a fare lo stesso con i paragrafi di Scienze. Ero all'ultimo banco ed ero l'ultimo della classe, non solo a entrare. Per me i professori erano solo persone che non sapevano nulla della mia vita e che la giudicavano con un voto. Ero consapevole di non essere il voto che prendevo nei temi d'italiano ma spesso, durante le lezioni, mi chiedevo "mi servirà a vivere tutto questo?".

Io sapevo scrivere, quando si trattava di Sharon scrivevo per ore. Scrivevo sui banchi, nelle prime pagine dei quaderni, sul diario. Non riuscivo a dedicare la stessa passione ai libri di scuola. Non volevo che mi assorbissero. I compiti generavano in me un sentimento claustrofobico.

La notte prima dell'ultimo giorno della terza media, le ore non passavano, i pensieri disturbavano il sonno. Pensavo che non sarebbe stato facile entrare in un altro ordine di studi, uscire da quella classe abbandonando un luogo ostile che però nel frattempo mi era diventato familiare. I miei compagni in fondo mi stavano simpatici e ora non li avrei più rivisti.

Per questo non ero contento mentre facevo colazione, mentre mi dirigevo verso la fermata in anticipo. Ero a un passo dal traguardo, non avrei più visto il crocifisso e sentito il peso di quegli sguardi, delle frasi di mia madre dopo i colloqui.

«Presente» risposi quell'ultima mattina. Non volevo farlo ma lo feci. Stavo sudando perché avevo corso, non volevo farlo ma lo feci.

Tupac, Changes

▶ PLAY

Ricordo che ascoltavo sempre Tupac, *I see no changes*. Avevo dodici anni e vivere in Italia non mi piaceva affatto, salire sul bus e avere tutti quegli occhi addosso mi faceva rabbia. "Che vi ho fatto?" pensavo.

"Da dove vieni?" mi chiedevano subito dopo avermi chiesto il nome.

"Ti trovi bene in Italia?"

Rispondevo "sì!" per comodità, ma pensavo "io non sono mai stato da nessun'altra parte".

Per me gli italiani erano il proprietario di casa che veniva a riscuotere l'affitto e a lamentarsi degli arretrati, erano gli sguardi diffidenti, erano i "perché non ve ne tornate al vostro paese?", erano gli arroganti che lavoravano in questura.

"Io non riesco a distinguervi, voi neri siete tutti uguali."

Sì, perché siamo tutti fratelli.

Io non riuscivo a reagire a quelle provocazioni, provavo rancore.

Essere nero non è facile in una società in cui i bianchi distribuiscono la libertà. Ho sempre evitato i ragazzi neri che, per farsi accettare dalla massa, dicevano: "Io non ho mai subito discriminazioni, qui si vive bene!". Egoisti, schiavi di risultati personali.

"I see no changes" diceva Shakur Tupac e aveva ragione.

Io non ho mai visto un vigile nero in vita mia. Nella città in cui sono cresciuto, "noi" pulivamo le strade o lavoravamo in fabbrica; anche mio zio, che si era laureato in Ingegneria a Perugia. Quando a Milano uccisero Abba, piansi. Lo accusarono di aver rubato un pacco di biscotti, lo ammazzarono a sprangate. Aveva diciannove anni.

Mamma diceva "Dio mi ha detto che diventerai qualcuno. Un uomo importante che aiuterà la sua gente".

Mi vergognavo a parlare in lingala, la lingua della mia terra, di fronte ai miei compagni. Loro poi scimmiottavano le parole. Deridevano il calore che ci metteva papà nell'esprimersi.

A sedici anni passavo le giornate sui marciapiedi, studiavo pochissimo, giocavo a calcio ovunque, con i miei amici. I vecchi del quartiere commentavano così: "Ma guarda questi... 'sti colorati...".

Io non mi sentivo italiano, nessun mio amico tifava per gli azzurri.

Iniziammo a seguire la nazionale solo grazie a Ogbonna e Balotelli, perché Ferrari e Liverani non ci rappresentavano. Quando Mario segnò il secondo gol contro la Germania, papà urlò forte il suo nome, non ci credevo nemmeno io, tifavamo per l'Italia.

"Forse qualcosa cambierà" pensavo. Però, nonostante tutto, *noi* pulivamo sempre e solo le strade.

Ogbonna non era tra i convocati, il numero 9 però c'era, la prima partita la festeggiammo a Roma in discoteca, Mario aveva segnato ancora.

Quando l'Italia uscì dal mondiale, su Facebook e sui marciapiedi si sentiva la stessa sensazione di sconforto e disagio che provavo quando salivo sul bus che mi portava a scuola. Quel giorno, rientrato a casa, mi stesi sul letto e la prima cosa che mi venne in mente fu "camon, camon, i see no changes".

Marracash, Polvere

▶ **PLAY**

Mio padre fissava sempre il telefono. Ricordo che mi svegliavo la mattina per andare a scuola, e lui era già lì, sul divano, impotente, perché non suonava mai e se succedeva era l'avvocato che puntualmente ogni settimana ci ricordava che dovevamo passare da lui in ufficio perché eravamo in ritardo con i pagamenti.

Papà era un operaio di un'industria automobilistica di Cesena e, quando lo lasciavano a casa perché non c'era lavoro, dovevamo sopravvivere con i sussidi della pubblica assistenza. Un genere di vita che non era certo quello che desiderava mia madre. Lei in Angola aveva un buon lavoro e anche qualche immobile. In Italia fu subito costretta a fare una serie di lavori che non le permettevano di realizzarsi. Non parlava quasi mai della sua vita precedente, la faceva stare male. Quel poco che so, me l'ha raccontato papà.

Una madre vorrebbe sempre dare ai propri figli tutto ciò di cui hanno bisogno, e questa impossibilità la faceva sentire incapace.

Vivevamo in un quartiere di emarginati, pieno di luoghi comuni, dove il sogno di una vita diversa passava per l'illegalità. Via Tommaso Gulli sembrava fatta apposta per tenerci lontani dalle vie del centro. Non mancava nulla: il parco, il supermercato, i campi da calcio, la scuola elementare, media e il professionale, le case popolari nei palazzi altissimi che ci guardavano dall'alto, i lampioni di piazza Medaglie d'Oro che illuminavano fino a tarda sera i nostri discorsi, le nostre risate, quando ancora si girava in bicicletta, consapevoli che non avremmo lasciato quel posto una volta diventati grandi, nemmeno di notte, nemmeno mai.

Passavo le sere davanti alla tele a immaginare una vita simile a quella dei miei compagni, volevo soprattutto i loro compleanni, le loro camere da letto piene di regali, il loro equilibrio. Niente di più. Perché una famiglia ce l'avevo. A differenza di molti, come ripeteva con orgoglio mamma, avevo tutt'e due i genitori insieme e una casa mediocre, che con la fantasia poteva benissimo essere il nostro palazzo.

Imparai presto a non chiedere nulla, ad accontentarmi delle fotocopie perché i libri costavano troppo, a indossare senza far storie i vestiti di mio fratello che prima erano stati di mio padre, a mentire spudoratamente alla maestra che ci faceva fare il tema "dove siete stati per le vacanze?" quando rientravamo dalla sosta natalizia.

Odiavo mentire.

Odiavo mia madre quando vendeva il sangue all'ambulatorio per comprarci la carne, la nostra Opel asmatica, le padelle annerite che riempivano la cucina, la costante paura di essere sfrattati, andare alla partita la domenica e non trovare nessuno in tribuna a incitarmi, aspettare quindici minuti in più degli altri all'uscita da scuola, rientrare a casa dopo l'allenamento e andare subito a letto perché l'Enel aveva staccato la luce, affrontare tutte quelle notti immense, da solo.

Alla domanda "chi è il tuo idolo?", rispondevo tutte le volte con un sorriso sincero.

"Mio padre è il mio idolo, perché tutte le mattine si sveglia per fare un lavoro che non gli piace, solo per me."

All'asilo lo disegnavo sempre più alto di tutti, con un'espressione seria, ma con le braccia distese che rappresentavano la sua generosità.

Stefano, in arte papà, aveva avuto un'infanzia difficile, cresciuto senza genitori nel Nord dell'Angola, ultimo di tre fratelli, costretto all'età di tre anni a vivere nella foresta per scappare dalla guerra. Ogni volta che finiva di raccontarmi la sua infanzia, aggiungeva: "C'è chi sta peggio di noi, ma nessuno è meglio di te, impara a sorridere".

Ero più scuro di lui, ma più italiano.

Quando vedevo un africano per strada, lo salutavo nella speranza che mi accettasse e che mi ritenesse uno di famiglia.

In fondo per loro ero uno straniero.

A scuola, alcuni mi chiedevano: "Ma ti senti più italiano o più del tuo paese?".

Rispondevo "del mio paese..." che però non si trovava in Africa, era un posto lontano che si situava nei cuori di chi era figlio di un popolo senza bandiera, stufo, come me, di essere considerato una frazione, una via di mezzo, una scheggia. Dove non c'era niente di sbagliato nell'essere nero, nell'essere nato con gli occhi a mandorla, dove le persone preferivano spegnere il cervello, il cellulare, la televisione, e dare spazio alle emozioni, dove ogni uomo era consapevole di esistere per volere di un altro uomo.

Ludovico Einaudi, Al di là del vetro

▶ **PLAY**

La fantasia l'ho ereditata da mamma. Quando le raccontavo della mia patria immaginaria e ideale sorrideva, perché era consapevole di avermi regalato quel dono. Lei che aveva chiamato mia sorella Meraviglia perché Dio le aveva dato la forza di lavorare fino al nono mese di gravidanza.

Era una donna di Chiesa. Ammiravo la sua fede, era una di quelle persone capaci di vedere in uno stagno infangato un oceano pieno di navi.

"Tu mi somigli" mi diceva spesso, e io pensavo "che fortuna".

Ricordo le sue incursioni in bagno mentre facevo la doccia perché c'era sempre qualcosa da sistemare, quando esagerava e mi chiamava "il mio bimbo" di fronte ai miei amici ridendo a fior di labbra con tutta la faccia, con tutto il corpo, contagiando tutti i presenti.

Non l'ho mai vista piangere.

Non pianse nemmeno il giorno in cui ci diedero lo sfratto.

Non pagavamo l'affitto da cinque mesi, e il proprietario si era stufato di aspettare. Venne a riferircelo di persona, si avvicinò alla porta minacciando che avrebbe cambiato la serratura se non avessimo liberato l'appartamento entro tre mesi.

Furono giorni difficili.

Le agenzie non affittavano casa agli stranieri e le poche che lo facevano chiedevano un contratto di lavoro a tempo indeterminato. Papà ne aveva uno a chiamata, per questo fissava sempre il telefono.

Ci trasferimmo a casa degli zii come topi nelle tane. Dormivamo in cinque in una stanza. Mamma e papà non riuscivano sempre a venirmi a prendere a scuola perché erano spesso fuori città per lavoro.

Quando riusciva, mi portava a casa la maestra Marianna, che aveva capito nitidamente, senza fare alcuna domanda, la nostra situazione. A volte, di soppiatto, tra la folla, fuggivo. Alla peggio ero costretto a passare interi pomeriggi in un'aula a ripassare matematica insieme ad altri bambini che come me vivevano nell'attesa che qualcuno si ricordasse di loro. Per fortuna, quasi sempre, venivo ricordato per primo.

Solo Dio sa quanto abbiamo sofferto.

Tutti i giorni recitavo la stessa preghiera, che in realtà era più simile a una lista di desideri. Sognavo una casa di proprietà, una macchina e una cucina nuova, una camera tutta mia, una maglia del Milan autografata da Weah, mamma e papà felici.

Papà conosceva a memoria la mia preghiera perché, tutte le notti, prima di dormire, la ripetevo nel letto accanto al suo. Non lo dava a vedere, però credo che la parte finale gli strappasse pure un sorriso.

Scherzando a tavola diceva "io non finirò mai in un ospizio, piuttosto uccidetemi, è come se io vi lasciassi in un orfanotrofio".

Ci chiedeva di non lasciarlo solo, di non fare come certi figli che abbandonano i genitori quando diventano vecchi, perché li ritengono un peso. Ma come potevo dimenticare o rimuovere col tempo una persona che mi aveva dato così tanto da ricordare? Non avevo tantissime foto con lui, forse anche perché davo per scontato il fatto che ci sarebbe stato per sempre, la goccia di sangue che non si lava via.

"Mamma, vorrei pagarla cara per tutte le volte che hai pianto a causa mia. Voglio farmi un tatuaggio con le iniziali di tutta la famiglia, posso?"

"Antonio, non hai bisogno di nessun tatuaggio, perché le cose importanti della vita vanno incise nel cuore. Lì troverai sempre la tua famiglia."

La Fouine, Regarde la Haut

▶ **PLAY**

Quando ci staccavano la luce, andavo a letto presto. Non dormivo perché la voce di papà me lo impediva.

Lui parlava sempre fino a tardi, consapevole che mamma prestava sempre attenzione a tutti.

«Dobbiamo andarcene via da qui, facciamo come zio Dixon che è andato a vivere in Inghilterra! Qui non c'è futuro!»

Non siamo mai andati da nessuna parte però. La nostra macchina non aveva neanche l'assicurazione.

Papà si arrabbiò parecchio quando mi sentì per la prima volta pronunciare il termine *negro*.

«In questa casa quella parola non si usa! Nel mio paese sono morte tante persone per quella definizione, non è uno scherzo!»

Quando l'Enel riabilitava il contattore, mi perdevo davanti al televisore per ore. Non dormire era qualcosa di eroico per me, come salire sullo scivolo al contrario.

Ero convinto che capitasse a tutti, che in tutte le case per un periodo mancasse la luce.

Capii poi che mi riferivo ai blackout interni, quelli che dividono le famiglie e isolano le persone.

Ero un bambino.

Crescere in Italia non è stato facile, qui nessuno ci ha mai aiutato.

"Tutti, qui, si sentono migliori di te. Diplomati e vattene, non fare come me che sono stato fregato dalla speranza" diceva papà.

"Ritenetevi fortunati che noi qui vi abbiamo dato una casa e un lavoro" ci dicevano.

Pensavo "non è vero", perché nessuno si era mai presentato davanti alla nostra porta offrendoci qualcosa, un lavoro, delle opportunità. Nemmeno per Natale. Nemmeno gli assistenti sociali, che quando vennero a conoscenza del fatto che papà aveva trovato un impiego con contratto a tempo indeterminato, ci tolsero la casa, come un amico che ti toglie il cuscino sotto la testa mentre dormi.

Fu il nostro secondo sfratto.

Noi abbiamo rincominciato parecchie volte.

«Dovresti apprezzarlo questo paese, tu sei nato qui.»

«Io potevo nascere ovunque, siamo esseri umani, non oggetti con su scritto Made in China.»

Dicevo Cina perché in tutti i miei giochi c'era scritto così. Devo molto ai cinesi, mi hanno fatto compagnia per tutta la mia infanzia. Poi i giapponesi li hanno sostituiti con gli anime e i manga.

Prima di entrare a scuola, quella mattina, raccontai che ci avevano staccato la luce, come se fosse stata una cosa normale. Per me lo era.

«Ci hanno staccato la luce ieri, a te è mai successo?»

Un ragazzo più grande, alle nostre spalle, rispose al posto del mio compagno.

«Succede solo a voi negri...»

Mi sentii morire. Solo in quel preciso momento capii che papà aveva ragione. Quella sera andai a letto presto, era buio nel mio cuore. Un blackout interno presente.

Gemello, Venere

▶ **PLAY**

Mamma rimaneva alla fermata fino all'ultimo momento. Poi, quando lo scuolabus imboccava la curva, si voltava. Per me, quel gesto significava "sono qui che ti aspetto" e "ti aspetto" è una promessa fantastica.

Io, quando c'era posto, mi sedevo sotto la scritta "In caso di emergenza rompere il vetro" e guardavo mia madre fino all'ultimo momento, come i palloncini che lasci andare in cielo chiedendoti dove andranno a finire, finché non diventava una macchia nera. Da quel momento in poi potevo solo immaginarla mentre tornava a casa e si preparava per il lavoro.

Quando aprì il negozio, le cose cambiarono improvvisamente, ci fu una vera e propria rivoluzione. Iniziammo di lì a poco ad assaggiare i sapori di una vita normale. Finimmo pure su un giornale locale: "Stella d'Africa, un passo per l'integrazione, il primo negozio di alimentari africano a Ravenna".

Mio padre, leggendo l'articolo, disse che per i giornalisti ogni motivo era buono per parlare di integrazione.

«Mica lo facciamo per integrarci, questi non hanno capito che lo facciamo per sopravvivere.»

I miei genitori finalmente erano felici, una rara prova che non c'è limite alle riserve di energia, nonostante pagassimo ottocento euro d'affitto.

In negozio, io e Meraviglia, mia sorella più piccola che all'epoca aveva cinque anni, solitamente stavamo alla cassa. Mamma e Stefania, mia sorella più grande, a fare le treccine nella stanza sul retro.

Avevamo già ricevuto due sfratti e la vita non mi piaceva affatto, non mi piaceva più. Mi ricordava le estati autunnali, quelle in cui piove spesso, quando non sai mai come vestirti, cosa aspettarti, perché il meteo ha le sue ragioni e alla fine, dopo tanto tempo, alzi la testa in cerca del sole, in mezzo ai palloncini lasciati andare in cielo, e inizia improvvisamente a piovere.

"Dove finiranno? Dove finiremo?" mi chiedevo.

Caneda, Angeli da bar

▶ PLAY

Le domeniche lavoravo io in negozio, perché mamma andava in chiesa insieme alle mie sorelle e papà riposava perché il sabato faceva la notte. Quando mi chiesero se ero disposto a prendermi questa responsabilità, risposi subito di sì. Iniziavo alle nove e staccavo alle tredici, ma non mi dispiaceva. Per me ogni occasione era buona per dimostrare ai miei genitori, ma soprattutto a papà, che sapevo cavarmela da solo. I miei amici venivano a farmi compagnia in cambio di una Coca-Cola.

In negozio vendevamo di tutto, dai prodotti per i capelli, al succo di mango, al platano, alle creme per la pelle. Stando dietro la cassa, e osservando i clienti, istruii e affinai la mia parte africana, quella che nella vita di tutti i giorni nascondevo. In negozio parlavo in lingala con gli amici di mio padre che venivano a comprare *fumbua* e *kwanga*.

Scoprii che in Nigeria si parlano più lingue, che il Camerun è diviso tra anglofoni e francofoni, che i tunisini dicono spesso una cosa simile a "zeb", che il rispetto, per chi è più grande di te, sta alla base della cultura africana, che chi ti vuole bene non è un amico ma un cugino, uno zio, un fratello, ed essere parenti non vuol dire per forza essere una famiglia.

Spesso, sul bus, a scuola, al parco, mi chiedevo: "Ma

come sarà vivere in un paese dove non si è uno straniero?".

Gli africani non mi hanno mai fatto sentire uno straniero, nonostante fossi nato in Italia e non avessi mai visto il Continente Nero. Loro mi chiamavano *petit, mon frère*, dicevano "noi" senza escludermi.

Io ero come loro perché ero uno di famiglia.

La strada di fronte al negozio fu rinominata da alcuni italiani "la via dei negri", lo chiamavano "il negrozio", perché comunque avevamo molti clienti e per la città di Ravenna era una novità. Per molti italiani, i dominicani erano africani, la Jamaica era sotto il Senegal, credevano che venissimo tutti dallo stesso posto come se il Sud del mondo fosse un'unica grande stanza.

Durante il primo anno in cui lavorai al negozio, conobbi Kofi, un ragazzo ghanese che lavorava come netturbino e che ogni domenica mattina passava a comprare le patate dolci.

Lui era partito nel '98 da Accra, la capitale del Ghana, una città di quasi due milioni di abitanti. Avrebbe voluto completare gli studi in Italia ma si era ritrovato a girare il paese in cerca di un posto che gli garantisse da vivere. Così era arrivato a Ravenna e un giorno era capitato nel negozio della mia famiglia.

Sapeva tantissime cose, mi prese in simpatia e ogni volta che veniva mi parlava di Kwame Nkrumah, Patrice Lumumba, Modibo Keita. Una mattina mi raccontò una storia che mi sorprese tantissimo, forse perché era lontana dall'Africa, forse perché ne capì il significato solo alla fine.

Era il giugno del 1996 e il Ku Klux Klan aveva appena annunciato di avere intenzione di tenere un comizio ad Ann Arbor, in Michigan, negli Stati Uniti. In molti della zona si riunirono per protestare contro questo raduno. Le proteste continuarono fino a quando un uomo annunciò che nella folla c'era un membro del Klan. L'uomo era un bianco di mezza età, indossava una T-shirt che raffigurava la bandiera confederata e aveva un tatuaggio nazista sul braccio.

L'uomo cominciò a correre preso dalla paura, ma fu atterrato e preso a calci dalla folla. Keshia Thomas, una manifestante, quando si accorse di ciò che stava accadendo, si buttò sull'uomo per proteggerlo, gridò più volte ai manifestanti di fermarsi, prese calci e pugni fino all'arrivo della polizia.

Per questo gesto la elogiarono in tanti. Lei disse che aveva protetto l'uomo perché era ciò che le chiedeva di fare la sua fede e perché sapeva cosa voleva dire essere feriti.

"Tutte le volte che sono stata offesa e picchiata, ho sperato che qualcuno mi difendesse."

Keshia Thomas era nera.

Kofi divenne il mio zio preferito.

MI DISSE: «CHI AMA TORNA». RISPOSI: «NO,
CHI SI PENTE TORNA, CHI AMA RESTA».

Kid Cudi, The Prayer

▶ **PLAY**

Il primo amore non si dimentica perché è sempre una scelta sbagliata.

Probabilmente, se lei dovesse leggere questa frase, penserebbe che è vero, riferendosi a me.

Erica è stata il mio primo amore.

Eravamo coetanei e siamo stati insieme pochi mesi. È stata la ragazza del primo bacio, delle farfalle giganti nello stomaco, del primo "ti amo", di "dove sei se non sei qui con me?", "mi manchi" e "sei febbraio", canzoni che ho scritto per lei.

All'inizio forse ero solo un farfallone mascherato da ragazzo romantico e serio, poi qualcosa cambiò. Iniziai a pensare a lei, fino al punto di non riuscire più a concentrarmi. Ricordo che ero Tim e lei Wind, io avevo i messaggi gratuiti verso il mio operatore e lei verso il suo. Così, per non spendere sempre dei gran soldi in ricariche, decidemmo di vederci tutti i giorni alle quattro di pomeriggio davanti alla stazione.

Quando arrivavo in ritardo, mi aspettava, senza farmi la paternale.

Erica era attraente senza essere bellissima, una proporzione, di poche parole, bionda, occhi verdi, carnagione chiara. Eravamo molto diversi, ma lei rispettava le mie idee. Non so perché scelse uno come me, devo ammettere però che riuscivo a farla ridere. Si affezionava alle cose, non buttava mai nulla, l'opposto di me, che invece cambiavo sempre idea, alla ricerca di ciò che era più nuovo.

Riuscii per lei ad arrotondare gli angoli più appuntiti del mio carattere, a far capire a me stesso che avrei perso qualcosa di fondamentale se avessi deciso di continuare una vita da solo, senza di lei.

Per cinque mesi siamo stati il disco più bello di De André. Ci dicevano: "Siete fatti per stare insieme".

Lo pensavo anche io.

La prima volta che facemmo l'amore fu a casa mia, avevo aspettato per mesi quel momento. I miei amici mi prendevano in giro, parlavano solo delle loro "mitiche" prestazioni, io non riuscivo a mentire, ad avere la faccia tosta di dire "oh cavolo ieri me la sono fatta...".

Lei non se lo meritava.

«In giro è pieno di troie a causa dei ragazzi che escono una volta con una ragazza, non ci fanno nulla, tornano a casa dagli amici e dicono "me la sono fatta"» mi disse Erica, un pomeriggio, a casa mia.

«Io non lo farei mai» risposi sorridendo.

«Cos'è quel ghigno? Se scopro che l'hai fatto, ti ammazzo. Voi uomini siete tutti uguali» disse fissandomi in attesa di una risposta all'altezza delle sue aspettative.

«Ah, quindi io sono uguale a Brad Pitt?»

«No.»

«Allora non capisco.»

«Lascia stare, almeno non hai risposto "siamo tutti uguali perché li scegliete tutti uguali", odio le frasi fatte.»

Poi sorrise, non era veramente arrabbiata o forse non lo era affatto, forse voleva solo mettermi alla prova.

«Mi hai appena detto involontariamente che sono diverso, grazie» dissi con tono scherzoso per cercare di tenere intatto il suo sorriso.

«Io non ho detto proprio nulla, tu sei pazzo.»

«L'hai fatto anche adesso.»

«Se lo dici tu.»

Le ragazze dei miei amici non erano capaci di aspettarti quando arrivavi in ritardo di cinque minuti e poi te la davano dopo cinque giorni.

Siamo stati vicini di casa per due anni, dalla mia finestra intravedevo la sua.

A volte mi salutava, altre faceva finta di non vedermi.

Succede a volte che una persona cominci ad assomigliare alla persona con cui sta. Forse anche noi eravamo stati simili, quando stavamo assieme, quando ci amavamo. Poi non più.

Da un giorno all'altro cambiai, prevalse la mia indole solitaria e finimmo per accettare le misere attenzioni che ci offrivamo pensando che fosse normale.

Era più forte di me, nonostante mi amasse tanto. La nostra relazione era come il mazzo di chiavi che stringevo nella tasca della giacca, sapevo che c'era, che l'avrei trovata lì. Con me era sempre stata una porta spalancata, quelle che non ti si chiudono alle spalle quando entri.

Mi lasciò per un altro e me lo meritai.

Lontano dagli occhi, pensai che facesse meno male vedere ciò che avevo perso, ma una vacanza non mi sarebbe servita perché, prima di partire, nella valigia ci si mette la propria esistenza.

Un giorno mi scrisse una mail.

"È inutile che neghi. Con me ti sei comportato come i negozianti che mettono all'ingresso 'Torno subito' e stanno via per ore. Un modo educato per dirmi che non potevo entrare e che non dovevo andare via. Che da quando ci siamo lasciati non è cambiato quasi nulla. Quante volte mi hai cercato tu? Sempre io per prima. Dicevi 'Io non voglio far star male nessuno e non voglio stare male per nessuno...' e a me non ci pensavi, alle tue assenze che erano delle vere e proprie scuse. Noi non eravamo in due, c'eri solo tu. Perché io ti ho amato con tutto il cuore, con i magoni, l'insonnia, le chiamate senza risposta e gli occhi gonfi. Se un giorno ti chiederanno di me, so per certo che non penserai al mio volto, alle promesse, ai ritardi e ai tuoi sbalzi d'umore, ma al fatto che ne sarebbe valsa la pena."

Aveva ragione.

Mi accorsi troppo tardi che mi mancava come manca l'estate nel giorno più freddo dell'inverno, quando fuori piove. Non la dimentichi una persona così, come Erica, la torni sempre a cercare.

I suoi messaggi divennero privi d'amore, distanti dalla persona che mi aveva accolto l'anno prima nella sua vita. Erica non mi permise più di entrare in contatto con lei, di irrompere nel suo cuore, se non quando era lei stessa a stabilirlo. Aveva bisogno di fare certi passi da sola. Non aveva bisogno di me, ma di crescere.

Lui ride, lei piange. Lui la illude, lei ci crede. Lui la ignora, lei lo ama. Lei si stanca, lui cambia. Lui torna, lei non c'è. Lui piange, lei ride. Lui ci crede, lei lo illude. Lui la ama, lei lo ignora.

Capii più tardi che quando una donna dice che ci deve pensare, vuol dire che ha già pensato.

The shin sekai, La Peur

▶ PLAY

Da piccolo odiavo leggere, ma amavo quando qualcuno leggeva i miei scritti. Odiavo il buio, ma amavo dormire, odiavo l'Inter ma amavo il derby, amavo i miei genitori, ma odiavo mio fratello perché non c'era mai.

"Chi ti ama, spesso lo fa di nascosto" diceva mamma e così io lo cercavo sugli spalti durante le partite di calcio.

Il giorno dopo i colloqui, chiedevo alle maestre: "Per me è venuto qualcuno?".

Le poche volte che mio fratello era a casa, parlavamo solo del Milan, di Gullit che era più forte di Maradona, di Weah e del gol fatto contro il Verona.

Non ho mai provato a chiedergli "resti?".

Ai miei amici raccontavo della sua vita piena di impegni e del suo lavoro all'estero, che comunque ci sentivamo sempre per telefono. E non dicevo che a differenza sua, se avessi avuto un fratello più piccolo, sarei stato più presente, più un esempio da seguire e non un'ombra da inseguire.

Ci sono ancora tanti silenzi, tante domande piene di affetto. Per tutte le volte che ho cercato invano uno sguardo che si occupasse di me, come una madre dopo un parto, o le monete nei pugni chiusi dentro le tasche.

L'odio è un sentimento claustrofobico. Mi addormentavo e le mattine seguenti se ne andava senza avvisare. Ci sono persone che ami così tanto che ti fanno sentire in colpa. "Non far arrabbiare la mamma e pensa alle tue sorelle" era una delle frasi con cui mi salutava.

Senza di te, Erica, sogno più spesso.

Ascolto canzoni deprimenti ed esco poco di casa. Ho pochi amici. Ho notato che mia sorella quando entro in casa mi chiede puntualmente: "Sei tu?" come se non mi riconoscesse più.

Ho sempre pensato che gli anni rincomincino a settembre, che è meglio un amore a distanza di un amore distante, meglio avere genitori unici che genitori uniti. Da piccolo non sapevo che prima o poi tutti si lasciano, come Shevchenko e il Milan, come noi due.

Tu sei meglio, starai meglio. Non mi concedevi il tempo di riprendermi per non riperderti. So bene anche io che all'inizio ero diverso. Ci sono atleti che sono più bravi in partenza, altri all'arrivo.

Spesso penso "arrivo?".

Tu troverai un altro, saprai ricominciare, farai pace con tua madre e lui ti verrà a prendere sotto casa, sotto la pioggia, e vi bacerete nei sottopassaggi che chiudono presto, come noi.

Mio fratello se ne andava sempre. Te ne sei andata anche tu.

Forse sono io il problema. I negozi chiudono, come il mio reparto "relazioni", perché ci sono troppe tasse da pagare. Mi dai dello stronzo e poi mi rinfacci che l'hai fatto per me. Ho sempre pensato che la notte serve per vedere meglio le cose. Tu mi amavi tanto, ti arrabbiavi perché confondevo Johnny Depp con Orlando Bloom. Nessuno del mio quartiere ha sfondato col calcio, nessuno ha realizzato nemmeno un sogno, qualcuno gioca in promozione, qualcuno è finito in carcere, qualcuno non saluta più. E io non ho più nessuno.

Da mio fratello ho imparato tante cose. A non esserci

mai, ad amare il Milan, ad amare di nascosto, a non arrendermi mai nonostante le tasse, nonostante gli errori.

Ci sono troppi cuori in affitto, troppi tentativi.

«Compreranno tutto i cinesi» dicono gli anziani, figli di amori giovani, quando si partoriva presto e si amava fino a tardi. Mi odi, non mi manchi, ti amo. Ti odio perché, se oggi entrassi a casa mia, alla domanda di mia sorella risponderesti "no" perché non sei tu. Perché, come mio fratello, hai deciso di non esserci.

Lucio Battisti, La collina dei ciliegi

▶ **PLAY**

Essere single fa schifo quando sai esattamente chi vuoi.

Sarebbe bello non lasciarsi mai. Sarebbe bello potersi fidare, anche solo delle parole, senza che per forza debbano seguire i fatti. Sarebbe bello poterti incontrare di nuovo per la prima volta, fare l'amore con te ancora per la prima volta. Apparecchiare per due tutte le mattine, ordinare per due tutte le sere. Tornare di corsa a casa con il mal di pancia e trovare il bagno occupato perché ti stai truccando. Rinunciare alla partita della domenica perché su Canale 5 c'è Barbara D'Urso. Spalmare la Nutella sul pane integrale che compri perché vuoi dimagrire. Sapere che lascerai le chiavi sotto il tappeto, le finestre aperte, il telecomando in cucina tra i libri di diritto. Sapere che non mi lascerai. Prendere la pioggia perché hai preso la macchina. Dormire dopo di te perché non sai dormire. Svegliarmi prima di te e guardarti sognare. Ripetermi che non sarà per sempre e ripeterti che lo sarà. I capelli sul piatto perché hai voluto cucinare tu. Rinunciare a Lenny Kravitz perché vuoi ascoltare la radio. Guardare controvoglia per l'ennesima volta una replica di *Grey's Anatomy* su La7. Imparare il latino perché ti devo aiutare a preparare la verifica.

Perché le persone a un tratto cambiano? Di quanto

dolore abbiamo bisogno nelle nostre vite? Perché crediamo alle promesse di chi a malapena riesce a smettere di fumare? Se chi tradisce "ci perde e basta", perché ci tradiamo come se fosse inevitabile? Non parlo solo di tradimenti passionali ma anche di fiducia. Non so darmi risposte, so solo che sarebbe bello non lasciarsi mai.

Co' sang, Quanno me ne sono juto

▶ **PLAY**

"Ehi, come stai?" le scrissi su WhatsApp un mese dopo l'ultima volta che c'eravamo visti. Mentre le inviavo il messaggio, strizzai gli occhi, sapevo che quell'invio avrebbe provocato un dolore.

"Perché tutte le volte che riesco a non pensarti per più di ventiquattr'ore tu mi scrivi qualcosa?" mi domandò.

"Perché tutte le volte che provo a non pensarti, finisce che poi ti penso."

"Non ti dirò come sto."

"Immaginavo. Comunque io sto bene, ho recuperato tutti i debiti e sabato vado in centro alla presentazione del libro di Vasco Brondi, vuoi venire?"

Le feci quella proposta senza aspettarmi nulla, o forse aspettandomi la risposta che infatti lei mi scrisse dopo un attimo.

"Non ci provare, l'hai detto tu che noi due stiamo bene insieme solo quando non siamo insieme."

"Perché mi fai sempre le guerre? Non capisco, è a causa tua se oggi siamo entrambi single, io ti ho già chiesto scusa."

"Tu hai sempre dato la colpa a me, hai preferito dare ascolto ai tuoi presentimenti, alle tue paranoie. Sapevi solo dirmi 'Guarda è un *tuo* problema' facendomi del male, e anche se non lo davo a vedere io ci mettevo tutto l'amore che avevo per sentire solo *tuo* nonostante tu fossi già da un'altra parte, lontano da ciò che era realmente *mio*. Vado a dormire, 'notte. Ti prego, non scrivermi più."

Lacrim, Tout Le Monde Veut Des Loves

▶ **PLAY**

Si può dire che io sia single per scelta. Perché ho scelto più volte di non mettermi in discussione. Ho scelto i miei difetti, i miei tempi.

"Nessuna ti amerà come ho fatto io" mi avresti detto un giorno.

La prima volta che ti scrissi "ti amo", tu mi rispondesti "ti passerà".

Scherzavi, io sorrisi e ci rimasi male. Però rimasi.

La vita mi aveva permesso di incontrarti. Tu mi sopportavi, eri disposta ad aspettarmi sotto le mie piogge. Come ci riuscivi? Te lo chiedo perché vorrei insegnarlo a tutte le ragazze che incontro e che se ne vanno con un "Vabbe', buonanotte". Forse avevi ragione, forse avevi me, forse. Io non andrei d'accordo con la persona che ero.

Il paradosso è che non ci parliamo più, oggi che è possibile comunicare in tempo reale con tutto il mondo.

Penso che per frequentarsi bisogna esserci e non essere solo frequenti. Tu eri brava in questo, non mancavi mai. Non ti manco? Non riesco a dormire, è una di quelle notti in cui chiudere gli occhi è come aprirsi. Mi sento come le bottiglie di vetro vuote ai cigli delle strade. E anche se non so fare nulla, qualcosa per te l'ho fatto perché, quando mi eri vicina, l'aria che inspiravi era dei miei polmoni.

Provare a dormire insieme, nonostante l'insonnia. Venirsi incontro nei sensi unici. Mi manca questo, quello che molti chiamano amore e che per mesi ho chiamato "Vale".

Dicevi: "Nei pacchi di caramelle evito le liquirizie e gli Smarties marroni, li accumulo in fondo al sacchetto e non so se li mangerò per ultimi o se non li mangerò proprio. Certe persone sono come gli Smarties marroni, non credi?".

In tanti ti ameranno come ho fatto io, perché sono scontato, perché arrivo in anticipo, perché dopo di te ho scelto chi è già dopo di me.

Ricordo quando ancora eri un bisogno, un elemento fondamentale per il mio ecosistema. Dicevi: "Se vuoi arrivare lontano, devi avere il coraggio di perderti".

Perdermi, non perderti. Però più passa il tempo e più io ti dimentico, anche se ci sono notti in cui vorrei risentire il battito del tuo cuore. Ormai l'inizio è già passato, non mi resta che cancellarti lentamente, accettare che da "bisogno" tu diventi "sogno". Chiudere gli occhi per aprire me stesso.

Vorrei dormire insieme a te nonostante l'insonnia, ma tu ora sei in camera tua e io qui che scrivo un italiano infelice. Ho il tre per cento di batteria e sono in un ostello in camera con altre due persone. Avranno sicuramente una vita migliore della mia che prima era anche la tua.

Ti lascio dormire perché voglio che mi lasci pure tu con un "vabbe', buonanotte".

Non riesco a dormire. Tu come ci riuscivi?

Black M, Pour oublier

▶ **PLAY**

Ti scrivevo "e comunque, se mai ti verrò in mente..." e poi venivi sempre tu.

T'incazzavi perché ci restavo male quando mi definivi un "tipo ripetitivo".

E tu invece non parlavi mai, eri silenziosa, tanto che quando ti ho persa ho provato a ritrovarti come si fa con i cellulari, chiamandoli, ma tu non mi hai risposto, tu non parlavi mai.

Perché, quando mi prestavi le cose, non le rivolevi mai indietro? Le tue matite, la tua sciarpa color crema, le tue attenzioni, gli abbracci e i baci sul collo che mi facevano il solletico. Tu eri la Guerra Fredda in piena estate, la Primavera Araba nelle mie giornate troppo italiane. Ti perdevi nelle tue passioni come chi si perde nel gioco d'azzardo.

"L'importante è ricominciare" sussurravi. E ti rivolgevi a me con l'urgenza di chi sta per finire i minuti.

"Siamo diversi, Anto, lascia stare."

Io ti avevo chiesto di passare a Wind, ti avevo chiesto di passare sotto casa anche solo per un attimo, per tutte le volte che mi dicevi: "Tutto passa".

E siamo durati un giorno in meno, al contrario del festival di Woodstock.

Avevi ottenuto un mandato per cambiarmi la vita, per estrarmi il cuore, come chi traffica gli organi in Sudamerica. Volevi una pausa che io non volevo perché, negli amori chiusi per ferie, si paga l'affitto con le delusioni.

"Non c'è nient'altro da guardare?"

Lo ripetevi spesso davanti alla TV. Io guardavo te e non lo pensavo. Ho provato a chiamarti ma era silenzioso.

Se sono ripetitivo è perché ho avuto solo te. E perché ora ho solo me.

Drake, Shot For me

▶ PLAY

Io non volevo parlare con i "non sono razzista ma", non ci volevo avere nulla a che fare con i "trattano meglio gli stranieri degli italiani" perché poi finivo per pensarti, per rivivere una vita che credevo fosse finita una vita fa. Perché tu mi trattavi benissimo, non ero uno straniero nella tua contea.

Da bambino avevo una risposta pronta per tutte le offese tranne che per questa: "Torna al tuo paese". Quando qualcuno me lo diceva, rimanevo in silenzio e mi dirigevo verso casa, pensieroso.

Io non sono mai stato in Africa.

Non ci posso "tornare".

Ci dovrei "andare".

L'Africa l'ho sempre e solo vista in televisione. Papà mi diceva che il Continente Nero è il giardino di Dio. Alla domanda "com'è l'Africa?" lui rispondeva "sfinita, stanca".

A lui la sua terra ricordava i vu cumprà che si trovano sulle spiagge, quelli pieni di mercanzia venduta a poco prezzo.

"Se non sanno chi sei e non riescono a etichettarti, non possono escluderti. Chi non ha una definizione, in questa società non esiste."

Io sono Antonio, punto.

Prendete un foglio bianco e con la matita disegnate un punto nero nel mezzo. Ecco, quello sono io e, fidatevi, non è bello sentirsi sempre come la neve ad agosto.

E con chi t'incazzi quando tutti ti giudicano? Quando sali sul bus e ogni sguardo è un commento? Quando non puoi stare con la ragazza che ami perché i suoi parenti ti ritengono un criminale, con chi te la prendi?

L'ignoranza è una brutta bestia.

Ancora oggi mi domandano: "Ma tu lo sai parlare l'africano?".

"L'Africa è un continente" rispondo. Sarebbe come se io chiedessi a un italiano se sa parlare l'europeo.

"Ti abbronzi? Tua sorella lo mette il mascara? Hai mai visto un leone?" È come chiedere a un giapponese se ha mai visto un samurai. Come chiedere: "Ma quello è tuo zio?" riferendosi al primo passante nero per strada.

Mi chiamano "immigrato", ma io da dove sono immigrato se sono nato qui?

Mi sento uno straniero quando sono sul treno e nessuno si siede accanto a me.

Quando, al bar, il classico cliente abituale anziano nostalgico di Mussolini dice "dovrebbero mandarli tutti via...".

Quando mi dicono "ma allora sei italiano!" e subito dopo mi chiedono se per le vacanze tornerò a visitare il mio paese.

Quando mi stringono la mano e si puliscono nei jeans.

Quando lei mi dà la mano e la guardano pensando "perché sta con quello?".

Quando chiamo un'agenzia immobiliare e va tutto bene finché mi chiamo "Antonio", poi all'appuntamento mi dicono: "Mi dispiace, non affittiamo casa agli stranieri".

Io non sono un ragazzo di colore, non sono un carico di panni sporchi da lavare e, a dirla tutta, io non divento rosso quando prendo uno schiaffo.

Fuori da casa mia c'è il mondo e milioni di persone soffrono a causa delle diversità. Persone che smettono di mangiare perché per la società hanno qualche chilo di troppo, perché le pubblicità ci dicono che dobbiamo dimagrire molto più di quanto non ci dicano di smettere di fumare e abboffarci di schifezze.

A casa mi dicevano sempre: "Quando punti un dito, te ne tornano indietro quattro. Se hai paura di rimanere solo, dipenderai sempre dagli altri. Una stella, se vuole, brilla anche dietro le nuvole".

Anche grazie a queste parole sono cresciuto, sono cambiato.

Non mi offendo più quando qualcuno mi dà del "negro". Se oggi qualcuno mi dicesse "lo parli bene l'italiano", risponderei "anche tu". E se mi chiedessero di tornare al mio paese risponderei "ci sono già".

Le luci della centrale elettrica, C'eravamo abbastanza amati

▶ **PLAY**

«Sei ubriaco, riprenditi.»
«Riprendimi.»

Neffa, Aspettando il sole

▶ **PLAY**

«Ti manca?» mi chiese Endri un giorno. Erano passate più di quattro settimane da quando c'eravamo lasciati e in quel momento stavamo parlando di tutt'altro, ma io sapevo che il mio amico si stava riferendo a lei, a noi.

«No» risposi sicuro.

«Ma io non ti ho detto di chi sto parlando.»

«Lo so. Però ho intuito che stessi parlando di lei.»

«Di lei chi?»

«Endri, smettila, non è divertente.» Feci un profondo respiro.

«Le hai mai detto come ti senti veramente?»

«Lo farei se servisse a farla tornare sui suoi passi, ma non è così.»

«Se tornasse sui suoi passi, calpesterebbe la vostra storia.»

«Posso correre questo rischio.»

«È inutile inseguire chi va via. L'amore più grande non lo ricevi da chi se n'è andato, ma da chi resta. I giorni più belli non li hai ancora vissuti.»

«Fottiti.»

«Ti voglio bene anch'io.»

Ghemon, Non spegnermi

▶ **PLAY**

Prima di conoscere Endri, non sapevo cosa vuol dire quando un amico diventa un fratello.

L'ho conosciuto a otto anni, ai giardini pubblici.

Un'amica di mia madre organizzava tutte le estati un Grest gratuito e aperto a tutte quelle famiglie che, come antagonista delle loro vite, avevano i soldi.

«Io sono Endri, tu?»

«Io sono Antonio, piacere.»

Da quel momento in poi divenne un piacere.

Capii subito che eravamo simili. Vivevamo con il disagio negli occhi e sorridevamo per nasconderlo. Endri si asciugava sempre il naso con il palmo aperto, come se volesse accarezzarsi il viso con le linee della vita.

Lo guardavo con curiosità, avevo bisogno di un amico e lo scelsi.

Lui era solo, io ero solo. Diventammo una cosa sola.

Parlavamo poco, passavamo i pomeriggi a giocare a calcio, a sporcarci, a nascondere i disagi, a dirci che non avevamo nulla da dirci, a rincorrerci sulle mountain bike. Apparivamo degradati, come le strade di Ravenna, a causa dei nostri vestiti consumati e dei nostri sguardi che avevano visto troppe ingiustizie, troppe mancanze, troppe notti.

Lui era già come sarei diventato.

Già, io come sarei diventato?

Avevamo la stessa età ma lui, a differenza mia, era un uomo, una persona responsabile.

Sua madre la chiamai da subito "mamma" perché i miei genitori mi avevano insegnato che per rispetto i parenti più grandi non vanno mai chiamati per nome. Lei mi ha sempre trattato come un figlio perché forse aveva capito, fin dal primo giorno, che non ci saremmo più divisi. Quando mi scordavo di farle gli auguri di compleanno, mi diceva con tono scherzoso: "Ti sei scordato del compleanno della mamma?".

Endri mi ha visto sorridere, rincorrere persone come si fa con i treni, contare le stelle per non pensare a lei, piangere in piedi, ha visto dodici anni della mia vita scrivendone gran parte della sceneggiatura.

Le parole "non ce la farò", con lui diventavano "ce la faremo".

Un amico vero non hai paura di perderlo, con un amico vero non hai paura.

Quando Erica venne a casa mia per la prima volta, vide le foto di Endri sul muro e mi chiese: «Ma chi è lui?». Io, senza pensarci nemmeno un secondo, risposi: «È mio fratello, però io sono più bello».

Lui è come sarei diventato.

Canardo, Priorité

▶ **PLAY**

Perché nessuno si fa sentire, quando i vuoti si fanno sentire? È come se tutti mi dessero le spalle, come chi non trova posto sul bus e si posiziona vicino al conducente, come quando rientravamo in casa e mio fratello maggiore faceva le scale di corsa lasciandomi indietro. Tu continui a esserci anche quando chiudo gli occhi, anche se dopo di te ho provato a credere in nuovi rapporti.

Ma dobbiamo per forza stare male per qualcuno per imparare a stare bene con noi stessi?

Ora che sono solo, perché da quando tu non ci sei, io sono solo, ho notato che è più facile farti compagnia che farmi compagnia, che è più facile rincorrere che scappare. Perché io non ho punti di riferimento. E anche se il mondo è tondo, tu sei talmente orgogliosa che non permetterai mai un nostro nuovo incontro, andando contro la natura e le geometrie dell'emisfero.

Il freddo ha colonizzato l'Emilia e i terremoti l'hanno fatta tremare, come i brividi che si provano d'estate, o le emozioni ingestibili che provo quando mi capiti davanti.

Faccio piccoli sogni privi di significato, non piango più adesso.

Quando qualcuno che ami così tanto se ne va, è come il suono di qualcosa d'importante che sparisce per sempre, il ticchettio dell'orologio che si interrompe e ci ricorda che il tempo si è fermato.

Per una volta nella vita vorrei che ti vedessi con i miei occhi, perché sono stufo del contrario.

Zibba e Almalibre, Senza di te

▶ **PLAY**

Quando mi abbracciavi pensavo: "Perché non mi stringi forte?". Forse era paura di perderti, forse le mie stupide paranoie.

Oggi ho perso un altro treno, un altro viaggio, un altro abbraccio.

È un'estate strana, triste, piove nei weekend, un po' come me che quando mi facevi arrabbiare non volevo vedere nessuno e odiavo tutti.

Oggi ho perso una chiamata, dormivo, avevo gli occhi chiusi e non sognavo, però era tutto nero, ti è mai capitato?

Tu mi sei capitata.

Non eri tu a chiamare, chiamo sempre io, metti giù sempre tu, però. Ti ho abituata bene.

Odio i giorni in cui la linea prende benissimo e non ho il 3g, perché ti comporti come se WhatsApp fosse l'unico mezzo per raggiungermi, quando basterebbe un semplice messaggio con scritto "raggiungimi".

"Sbagliamo perché ci hanno insegnato 'devi farla sentire importante' e non 'deve essere importante'."

L'ho capito dopo, scusami. Finiremo per morire soli, urlandoci addosso le volte che ci siamo promessi che saremmo stati insieme per sempre. Che poi, a pensarci, la parola "insieme" comprende tantissime altre cose, non solo noi, ci hai mai pensato?

"Anto, non si dimentica, si supera. E se non ci riesci è perché stai provando a dimenticare."

Non trovo più il diario di scuola, le foto, i tuoi capelli sul mio petto, non troverò più una donna come te per uno come me. Ci sono cose che non si ritrovano facilmente, persone che si mancano.

"Mi dicevi 'mi manchi', ma le persone che si mancano si trovano."

Ho *preso* il treno oggi, non per colpa mia, l'hanno soppresso causa maltempo, hanno detto così in biglietteria. Ho scritto *preso*, ma volevo dire *perso*, perché quando ti ho *persa* volevo dire *presa*.

Come quando da bisogno sei diventata un sogno e poi sei tornata a essere una necessità. Mi lamentavo dei tuoi abbracci che non erano abbastanza forti e non mi sono mai chiesto: "Ma io lo sono?".

Quanto vorrei che fossi tu a scrivermi, a dirmi "usciamo", "a domani", "a tra un po'".

Quando ti chiedo "che faresti al posto mio?", vorrei che mi rispondessi "io non vorrei essere al tuo posto, mi basterebbe un posto vicino a te".

Mi sento come una macchina in controsenso che ha smarrito la via, un file di piccole dimensioni tra le cartelle del tuo hard disk interno.

Stamattina mi sono fermato davanti al negozio di elettronica, quello di fronte alla farmacia, e ho pensato alle tue teorie, alle cose in cui credevi fermamente. Eri convinta che i monitor ci guardassero, ci scrutassero dentro.

«Pensaci, quante cose fai e dici davanti al computer?»

E ho pensato che avevi ragione. Ho pensato a quante volte ho ripristinato le nostre immagini cestinate, a quando ti ho rimossa da Instagram, alle cose che ti ho scritto sui bloc-notes del desktop, abbandonati come rifiuti nel Sud del mondo, alla cartella che contiene le cose che mi scrivevi, al mio monitor che non ha mai avuto bisogno di guardarmi dentro perché già gli avevo detto tutto, dato.

"L'amore è una cosa giusta, sono le persone che diventiamo a non esserlo."

Erano parole tue, forse avevi ragione.

Ho ancora il tuo disco dei Nirvana, sai?

Quando voglio farmi del male e sentirmi in colpa, lo ascolto.

Io ci ho provato a fare pace con i miei errori, con le mie mancanze. Ricordo che nessuno dei due aveva più il coraggio di dire "amami". Passavamo mesi insieme scrivendoci a vicenda "mi ami?" e, quando toccava a te, cambiavi discorso, nello stesso modo in cui hai cambiato vita, numero, ragazzo.

"Non bisogna fare promesse che non possiamo mantenere."

Avevi ragione. Io avrei voluto che mantenessi me al tuo fianco, che chiedessi di me, come hai fatto l'ultima volta con questo dannato disco.

È più facile mantenere una promessa che una persona. Sarebbe bastato un "ehi" per non farmi dormire, per cessare ogni guerra, per ritrovare la corsia. Perché tu sei il mio posto, il posto più vicino al mio cuore che conosco. Ma tu hai già qualcuno che sta prendendo posto nella tua vita. Il massimo che potrò fare io, sarà rinominare con il tuo nome l'ennesimo file che parla di te. Anche se ci spero ancora, perché tra tutte queste cartelle ce n'è una tua, rinominata "Amami", che io dopo tutto questo tempo leggo ancora "Mi ama".

Nirvana, Rape me

▶ **PLAY**

Non è vero che tutti tornano. Perlomeno, a me non è mai successo. Credo sia più corretto dire che tutti se ne vanno.

Ci sono persone che ti entrano dentro, che quando decidono di andarsene portano via tutto, come un'impresa di traslochi che esegue un pignoramento.

Le persone che si lasciano, a mio parere non sanno lottare, collaborare, non riescono a battersi per riavere indietro nemmeno la metà di quello che loro stesse hanno messo in gioco. Sono ipocrite, con secondi fini, opportuniste, banali e disinteressate, preferiscono appoggiarsi sulle comodità piuttosto che combattere.

Tornare dove si è stati bene dopo che si è deciso di lasciare è facile, ma purtroppo non si torna mai come prima, perché sono i percorsi, le distanze, le scelte fatte, il modo di guardare le cose che cambia le cose, ci muta anche se la via di casa è sempre la stessa. Molti preferiscono giustificarsi invece di chiedere scusa, persone che non sanno perdonare, e altrettante sono quelle che per paura di disturbare non ti cercano. Con i tuoi fallimenti certi individui ci fanno le corazze e poi ti dicono che è grazie a te se loro oggi sono più forti, meno vulnerabili, ingenui.

Ha più valore il tempo che hai perso e non le persone che hai perso nel tempo.

Se al posto della "P" al posteggio auto ci scrivessero "oggi è per sempre", le coppie che fanno sesso nei parcheggi farebbero l'amore.

Io, quando penso "è finita", non riesco ad andarmene subito, e nemmeno subito dopo, preferisco accontentarmi come con i giochi di seconda mano che mi comprava mamma. Io sapevo che costavano meno, e per questo non protestavo, non ci stavo male. Oggi, nonostante mi adatti, mi trovo sempre a stare male, perché?

Ricordo bene l'ultima volta che mi rivolse la parola. Tornò per portarmi le mie cose. Avrei voluto si trattenesse un po' di più, giusto il tempo di un caffè, mi limitai a salutarla.

Fosse stato per me, noi ci saremmo trascinati senza fine, non avremmo mai affrontato la situazione e tradotto le decisioni in fatti concreti. Se fosse stato per me, saremmo rimasti a guardare l'alba alla deriva, dietro un confine mentale che non ci avrebbe permesso di raggiungerla.

Era un giorno come tanti, un giorno di pioggia.

«Tranquillo non mi perdo, conosco già la via di casa» mi disse e se ne andò.

Mi lasciò subito, non subito dopo. Non è vero che tutti tornano, le cose non sono tornate come prima.

Mi disse: «Chi ama torna». Risposi: «No, chi si pente torna, chi ama resta».

TU NON RISPONDERAI
E IO NON TI RISCRIVERÒ,
UN'ALTRA SERATA PASSATA
A PENSARE "LE SCRIVO O NO?".

Drake, Practice

▶ **PLAY**

Stamattina ero sul treno e davanti a me c'era una ragazza con un giubbotto rosso, credo fosse di pelle, teneva lo sguardo basso, aveva il telefono in mano, un iPhone nero. Probabilmente stava scrivendo più messaggi o solo scorrendo con gli occhi vecchie conversazioni.

Inconsapevolmente la fissavo, come le vetrine illuminate dei negozi di notte dietro le saracinesche, come quando si è in classe e si guarda la lavagna senza ascoltare. A tratti alzava lo sguardo e io di scatto mi voltavo. Non mi guardava nemmeno per sbaglio. Avrei voluto parlarle, fare amicizia come nei film dove i protagonisti non si conoscono mai per caso, come i testimoni di Geova che non hanno paura di essere respinti.

Per pochi minuti ero ritornato alle elementari, quando non mi dichiaravo per paura ed ero geloso di qualcosa che non mi apparteneva.

Non saprà mai che ho sperato, anche per poco, che i nostri sguardi s'incontrassero.

Chissà se mai la rivedrò.

Io tra "perché mi guarda?" e "perché non mi vede?" preferisco sempre la prima domanda.

Gué Pequeno, Amore odio

▶ PLAY

Adele era bella, aveva lineamenti netti e decisi, un'espressione dolce, ricordava *Nuvole bianche* di Einaudi, Venezia. Usciva da una storia di cinque anni, soffriva per questo.

«Prima mi ribadisce che è finita, poi, quando me ne sto per andare, mi dice piangendo che un giorno torneremo insieme. Io che devo fare? Non so più a cosa pensare. Non vuole stare con me, però quando siamo soli mi bacia come se nulla fosse. Io sto più male quando lo vedo, ma non riesco a dirgli di no.»

Ci sono persone che non stanno insieme per il bene che si fanno, ma per il bene fatto in passato, e credo che lui l'avesse amata tanto. Altre coppie non si lasciano per paura, e credo che lei avesse paura.

Quando una donna lascia un uomo, lui pensa sempre che ci sia un altro. Quando i ruoli s'invertono, invece, l'uomo lascia sempre uno spiraglio, rimandando in continuazione, accennando futuri improbabili. Gli uomini non sanno restare soli. Quando una donna dice "no", il suo rifiuto vale per sempre. Rinunciare al partner e ai sentimenti quando ostacolano la nostra felicità è un gesto di amore puro.

Adele doveva imparare ad amarsi un po' di più, a capire che lei veniva prima di tutti nella sua vita. "Ho bisogno di te" è un pensiero puramente egoista.

"Tu sei più bella di quello che credi" le dicevo.
"Io non mi piaccio."
In cuor mio sapevo che un giorno le avrei risposto: "Piaci a me".
Era ostinata, parlava di lui e allo stesso tempo di destino, come se le nostre esistenze e il nostro percorso fossero già stati scritti e decisi da qualcuno.
"Ci sono persone che devono stare insieme" mi diceva.
"Ci sono persone che 'vogliono' stare insieme, l'amore non è un lavoro."
"Hai ragione."
"Se non ti cerca mai, se non fa nulla per vederti è perché sa che ci sei."
"Ieri mi ha chiesto di uscire."
"Non deve chiederti di uscire. Deve chiederti se sei felice."
"Forse con lui lo sarò."
"Non puoi pensare a quello che sarai, ma alle cose che ci sono adesso, se guardi bene, lui in quella lista non c'è."
Se in quel momento mi avessero chiesto un suo difetto, avrei risposto: "Dà il suo amore a chi non lo vuole".
Essere innamorati di un'amica è come fare il cameraman di un film porno: puoi solo guardare. E io la studiavo, nei suoi occhi trasparenti potevo cogliere lo sconforto che le riempiva il cuore.
Passarono minuti prima che parlasse di nuovo. A un tratto strozzò il silenzio che scese sui nostri sguardi, sussurrando, con voce carica di sconforto: «No, nella lista lui non c'è». Poi la sua voce si spezzò. Quella frase non la disse lei, ma il suo cuore.
Trassi un prestante sospiro: «Adele, ti amo».
«Vorrei tanto trovare il coraggio di dirti anch'io, che anche io mi amo, ma proprio non ci riesco.»

Franck Ocean, Novacane

▶ **PLAY**

Vi è mai capitato di sentire il telefono vibrare ma in realtà non lo aveva fatto veramente? A me a un certo punto capitava sempre.

La causa era sempre lei. Adele.

Odiavo inviarle un messaggio e attendere più del dovuto. Io come uno scemo rispondevo dopo due secondi.

L'ultima volta che ho pensato "questa è l'ultima volta che lo faccio" è stato subito dopo averle scritto "OK ciao".

Non mi piaceva come mi faceva sentire. Avrei voluto esserci solo per chi sa dire "grazie" e togliere il sonoro quando si giustifica, ma con lei ci cascavo sempre. La Wind mi mandava i suoi inutili messaggi promozionali solo quando attendevo un suo segnale, il massimo che potevo fare per farmi notare era visitare tremila volte al giorno il suo profilo alla ricerca disperata di un link a cui mettere "mi piace" in modo che il mio nome apparisse tra le sue notifiche.

E resteranno messaggi solo visualizzati perché tu non risponderai e io non ti riscriverò, un'altra serata passata a pensare "le scrivo o no?".

Avere paura di disturbare è un po' come essere timidi, ed esserlo non è per niente tenero, fa schifo. Perché perdi un mucchio di occasioni.

Giovanni Allevi, Back to life

▶ **PLAY**

Quando apro occhio la mattina, il mio letto diventa inevitabilmente possessivo. Come se mi sussurrasse a un orecchio "è ancora presto, aspetta altri cinque minuti, fidati". Mi fido più di lui che delle persone.

Io arrivo sempre in ritardo agli appuntamenti, al lavoro, alla fermata del bus, nei rapporti. Ci sono persone che mi amano già da un pezzo e io manco me ne accorgo, mi rendo conto sempre troppo tardi perché guardo altrove.

Ho i piedi per terra ma la testa fra le nuvole.

Una volta su Facebook ho letto: "La verità è che non le piaci abbastanza".

Non ero d'accordo, perché le verità, a mio avviso, erano altre: "C'è qualcuno a cui piaci, che non ti piace abbastanza, non bisogna stare con chi si vuole ma con chi si merita perché se no si soffre di continuo".

Ho sempre visto le ragazze che mi piacevano innamorarsi dei ragazzi che odiavo. La vita non mi ha mai dato le persone che volevo (quelle che volevo non mi vedevano), con persistenza mi metteva in fila. Come in questura.

Il mio turno era lontano anni luce da quello esposto sul display e mi toccava stare in sala d'attesa per minuti che duravano inverni e credo che l'arrivare in ritardo col tempo sia diventata più una prevenzione che una sbadata abitudine.

Io aspetto sempre l'occasione giusta, rifletto molto sulle cose da dire prima di espormi. Finisco sempre in un angolo a pensare "che cazzo stai facendo? Parlaci!" e poi mi riduco ad aggiungerla su Facebook, come un vero codardo.

Mi correggo: essere timidi non fa schifo, io vorrei tanto essere timido come Charlie Brown, Leopardi, Emily Dickinson, Roberto Baggio, Woody Allen o come Albert Einstein che non sapeva corteggiare le signore e si consolava suonando il violino. Dalla timidezza non si deve guarire, questa è la più grossa stronzata messa in giro dai mediocri che non riusciranno mai a dare o ricevere un'emozione così come siamo capaci di darla o riceverla noi. Però so anche che, se fossi stato meno razionale e più sfacciato, oggi forse avrei più ricordi conditi da meno rimorsi.

MA QUANTO CORAGGIO
CI VUOLE AD AMARE QUALCUNO
CHE AMA QUALCUN ALTRO?

Frank Siciliano, Notte blu

▶ **PLAY**

«La vita è un semaforo. Hai presente quello di fronte alla stazione a Bologna? Ecco. Noi siamo le strisce pedonali, incroceremo tante persone, qualcuno avrà bisogno di noi per poter passare, altri no. Ma nessuno resterà in eterno.»

Lui per me era il racconto, il contrasto, il contraccambio, un progetto, un sorriso, un confronto, un amico, un ricordo.

Fabrizio De André, Inverno

▶ **PLAY**

Kevin, rinominato da tutti Bao, l'ho conosciuto davanti alle macchinette della scuola. Ero lì a scegliere qualcosa di commestibile e in quella di fianco c'era lui. Misi quaranta centesimi, ma il tè ne costava trentacinque. La macchinetta non dava resto. Dopo un po' Kevin mi toccò la spalla e mi diede i cinque centesimi di differenza che mi avrebbe dovuto dare la "stronza".

Lui era così. Un ragazzo con un talento insolito, riusciva a toccarsi il naso con la lingua. Un tipo generoso, estroverso, istruito, intelligente, moderato, aveva una sua teoria su ogni cosa. Di sinistra, detestava la televisione, amava il calcio, capelli neri, occhi castani, diciannove anni, nato in Italia da genitori nigeriani, espatriati negli anni '70 dopo la guerra del Biafra. Lui era un Ibo. Aveva perso i nonni nel '66, nel periodo in cui gli Yoruba massacravano i cristiani nelle regioni del Nord della Nigeria.

Disprezzava la religione, diceva che era il tumore dell'Africa. «Se gli africani fossero più realisti, terreni, naturalisti e non simbolisti, oggi nelle nostre città ci sarebbero più scuole e meno chiese, più insegnanti e meno pastori. Dio va venerato con gli aromi, le feste e i profumi, non con il sangue.»

Io la pensavo allo stesso modo.

Aveva frequentato tutte le scuole a Ravenna. Durante le vacanze però tornava sempre a Port Harcourt nella casa dei nonni paterni, ormai abitata dagli zii. Si sentiva un *biafra*. Ammirava mio padre, la sua negritudine, il suo orgoglio, e mi chiedeva spesso se ero disposto a uno scambio.
Sorridevo.

Briga, Benvenuta

▶ PLAY

Eravamo seduti in un angolo della pizzeria. Kevin quella sera mi aveva chiesto con insistenza di uscire e, subito dopo aver ordinato, era arrivato al punto: «Quanto può far male rileggere le vecchie conversazioni?».

«Io, quando mi lascio, cancello sempre tutto per sicurezza. Non voglio ricadute.»

«Fai bene, però io non ci riesco, quei messaggi sono cicatrici che voglio tenere in bella vista, in modo da non rifarmene più, capisci?»

Fissai la vetrata alle sue spalle, non volevo guardarlo negli occhi perché quella conversazione l'avrebbe presto tradito costringendolo a esprimere le sue vere emozioni. «Capisco. Con Marta come va?»

Si fermò come se volesse ricordare tutti i dettagli e disse: «Non va, discutiamo tutti i giorni. Ma prima di Facebook le coppie per cosa litigavano? Ha sempre il telefono in mano, e pretende che io le scriva di continuo, ormai non parliamo neanche più, è un continuo "che fai?", "dove sei?", "a cosa pensi?", "perché non mi scrivi?", "perché hai messo 'mi piace' a quella foto?", "ma la conosci?".»

«E discutete per questo?»

«Anche per questo, ma non ha senso. Le coppie di oggi non si lasciano perché l'amore finisce, ma a causa delle amiche pettegole. Io, più mi guardo attorno e più mi sento fuori dal mondo, qui è tutto più grande di me, soffoco.»

Sorrise amaro, aspettando una mia risposta, avevamo toccato il punto.

«Devi solo trovare un posto dove sei più grande. Non possiamo stare con chiunque, siamo fatti per poche persone. Ci sono amori che non s'incontrano mai e forse tu, il tuo, lo devi ancora incrociare. Per me tutto è cambiato con il tempo e grazie all'amore e le attenzioni di chi mi vuole bene. Sono cambiato quando ho incontrato persone che mi hanno insegnato ad amare la vita e che è possibile vivere liberi anche in gabbia, se non si è schiavi del potere e della mentalità dominante. Tu ami la persona con cui stai? O ami il fatto di stare con una persona? Secondo me, dovresti stare con chi ti fa amare il fatto di stare con una persona, e quella persona dovresti essere tu.»

«Tu hai trovato una come Linda» fu la sua risposta. «Lei ti ascolta, ti capisce, non ha Facebook! Io e Marta invece parliamo di tantissime cose e non ci diciamo mai niente. Non ci lasciamo perché entrambi abbiamo paura di restare soli. Io so solo che non vorrei essere qui. Sono la persona sbagliata nel posto sbagliato.»

La mia pizza non era ancora arrivata. Risposi guardandolo mangiare.

«Non è dove vuoi essere, ma di chi vuoi essere, con chi vuoi essere, chi vuoi essere. Io, Linda preferisco averla vicino che nel cuore. Io potrei benissimo vivere tra le mucche in una stalla o in un loft a New York, quello che voglio è essere libero e felice. Mi accorgo che questo è possibile quando so di essere amato. Mi va benissimo vivere nello schifo, ma voglio respirare.»

«Tu la fai sempre facile» disse Kevin.

«Credimi, è più facile sorridere che piangere. Io voglio un figlio, un futuro e una donna che mi dia tutto questo.»

«È più facile fare figli che trovare una donna.»

«E io mia figlia la chiamerò Filosofia.»

«E il maschio come vuoi chiamarlo? Dante?»

Mandai giù un sorso.

Sorrisi, Linda mi mancava.

Levante, Scatola blu

▶ **PLAY**

Nessuno sapeva che io non mi sentivo angolano. Io non l'ho mai visto l'Angola, non ho mai frequentato angolani all'infuori dei miei famigliari. Io sono un afroitaliano. Ho amici senegalesi, tunisini, burkinabè e zii acquisiti nigeriani. Mi piace il *fried rice*, il *feijao preto*, il *pondu*, la pasta.

Sono nato e cresciuto in Italia. Ho frequentato tutte le scuole in Italia. Alle elementari sapevo a memoria la sigla di Dragonball come tutti i miei compagni. Come loro, amavo il calcio, il Milan era la mia passione.

Italiana era anche la musica che ascoltavo, come De André, Ghemon, Vasco Brondi. Il mio film preferito? *La ricerca della felicità*, di un regista italiano. Ho un nome italiano. Sogno in italiano. Quando parlo in lingala, penso in italiano. Piango in italiano. Non ho mai rinnegato le mie origini, non ho mai avuto la pretesa di dire "io sono italiano" anche se sarebbe un mio diritto.

Mamma con parole sue diceva: "Nella vita, solo chi se ne va, un giorno potrà tornare. Tu, Antonio, non sei mai andato da nessuna parte e, se dovesse succedere, torneresti in Italia, perché questa è casa tua".

Lei mi capiva, ha sempre afferrato le mie sensazioni in ogni circostanza.

Kevin invece paragonava le persone agli alberi. "Solo quando le radici sono ben salde, un albero cresce forte e rigoglioso, e le nostre sono in Africa."

Era un pensatore, aveva un modo di fare contagioso, un sorriso che fungeva da scudo per tutti, la luce del sole che attraversava la finestra dei nostri giorni monotoni. Nelle sue parole ritrovavi la speranza. Con lui ho imparato che ogni uomo non è quello che ha e nemmeno quello che ha intorno.

"Un uomo è quello che dice di essere al suo cuore."

E il suo era vittima di un amore non corrisposto.

«Ieri al Mondrian ho conosciuto una tipa bellissima! Mi sa che mi sono innamorato!» mi disse Kevin un giorno. Stavamo giocando alla playstation e io inizialmente non diedi particolarmente peso alle sue parole.

«Tu t'innamori sempre, Bao» lo presi in giro.

«No, ma stavolta è diverso, non è come con Marta. Ieri sera ho bevuto tantissimo ma nonostante questo mi ricordo ancora il suo nome. Le ho dato il mio numero e le ho detto di scrivermi. E sai che è successo stamattina?»

«Che è successo?»

«Appena mi sono svegliato ho trovato questo messaggio: "se vuoi conoscermi, mi devi scrivere tu".»

Le scrisse e uscirono assieme.

Kevin sembrava felice.

Si frequentarono per mesi, ma lei era un tipo difficile.

Io la incrociai solo un paio di volte in centro e mi parve subito snob, superficiale. Non mi capacitavo del motivo per cui lui l'amasse così tanto.

Kevin aveva solo parole dolci per lei: "Hai presente quando sei in camera al buio e l'unica cosa che fa luce è il display del telefono? Ecco! Lei per me è una cosa simile".

L'amava come amava le poesie di Montale, di Neruda, lei occupò il posto dei filosofi, degli impressionisti, divenne l'oggetto dei suoi studi, la sua passione, come l'arte e la letteratura.

Non si misero veramente insieme. Kevin e Malika si frequentavano. Era una di quelle relazioni aperte dove sei geloso e non hai diritto di esserlo, dove non hai voce in capitolo e l'unica cosa che puoi fare è disdire ogni appuntamento barricandoti in casa nella speranza che ti chiami per chiederti di uscire.

Dietro a ogni grande uomo non c'è una grande donna, ma una grande sconfitta e, quando per forza di cose devi essere forte, finisce che poi forse lo diventi.

Lui aveva perso qualcosa che non aveva mai avuto, che aveva solo desiderato. A volte l'amore non c'è e Kev questo non lo capiva, si odiava, senza reticenze, si urlava addosso che non era abbastanza, che, se avesse fatto di più, le cose sarebbero andate diversamente. Tutte le volte che affrontavamo l'argomento, finivamo per discutere. La sera, prima di andare a dormire, mi inviava un messaggio in cui giurava che l'avrebbe dimenticata, e io glielo rinviavo perché quella era una promessa che doveva fare a se stesso.

Malika era una sottile tortura. Ogni volta che Kevin provava a interessarsi a un'altra ragazza, a trovare una via di fuga, lei tornava da lui con buoni propositi. Gli raccontava le cavolate che lui voleva sentirsi dire. Non aveva paura di perderlo, perché lui si perdeva ogni volta che lei decideva di perderlo. Come una barca che lascia il porto sicuro per esplorare il mare e rientra solo in caso di brutto tempo. Una dipendenza. L'amore e la morfina sono due cose opposte e lui, fatalmente, optava per la seconda.

«Vorrei non avere più posto per un amore non corrisposto, mi conosco, è fisso che se torna ci ricasco.»

Dovevo far capire al mio migliore amico che l'amore romantico non è una decisione razionale ma lui, quando si trattava di lei, restava immobile, alla mercé dei voleri altrui.

Non sono mai stato bravo a dare consigli perché io non mi fiderei di me, non darei ascolto a un individuo che si è sempre fatto lasciare perché non è in grado di maturare l'idea di un futuro stabile.

Mezzosangue, Nevermind

▶ PLAY

Ma quanto coraggio ci vuole ad amare qualcuno che ama qualcun altro, amico mio? Quanto coraggio hai dentro di te? Io credo poco. Come puoi sentirti solo in un mondo pieno di vetrine, di luci, di persone che si sentono sole?

Io anni fa mi deprimevo sempre. Avevo scarsa autostima. Che di solito è il rovescio della medaglia delle persone molto sensibili. Aiutavo tantissimo gli altri, davo milioni di consigli ma non mi soffermavo mai su me stesso, le mie scarpe avevano preso l'abitudine di tenersi i sassolini, sentivo il dolore e facevo finta di niente.

La domanda "come stai?" mi metteva in imbarazzo. Preferivo "come va?". Ho sempre trovato una netta differenza tra le due. La seconda mi ricordava che la vita era muoversi, la prima che ero fermo da troppo tempo.

Temevo le figuracce, non riuscivo a esprimere, se non con una certa lentezza, i miei sentimenti. Da tutto ciò sono guarito quando ho iniziato a mantenere le promesse che mi sono fatto.

Ho promesso a me stesso che la mia felicità non sarebbe più dipesa da nessuno. Ho smesso di pensare: "Mi amerò solo se saranno gli altri ad amarmi per primi" e ho iniziato ad amare me per primo.

Kevin esci, parla, sii sincero quando ti chiedono se

va tutto bene, sii coraggioso. Quel giorno può essere benissimo domani. Poniti dei piccoli obbiettivi e raggiungili, concentrati sulle soluzioni. Nessuno entrerà da quella porta se tu non toglierai la chiave.

Ma quanto coraggio ci vuole ad amare qualcuno che ama qualcun altro? Io credo poco. Quanto coraggio hai dentro di te? Lo sai solo tu, ma porta pazienza, perché ci sono anni che pongono delle domande e anni che rispondono.

Buona notte Kevin, amico mio.

Drake, Trust issues

▶ **PLAY**

Lui sarebbe riuscito a farmi stare meglio, io riuscivo solo a farlo sentire un masochista, un illuso, incapace di ammettere a se stesso che certe situazioni vanno affrontate. Ma lo ammiravo perché, standogli vicino, riuscivo a sentirmi scelto. Ammiravo la dedizione che metteva nel fare tutto, non nascondeva le sue paure e, nonostante non riuscisse a sconfiggerle, non ne rimaneva schiacciato, aveva degli ideali, una libertà che gli permetteva di fallire, era sensibile ma non provava vergogna, si accettava, ripeteva: "Io sono bello, tu che dici?".

Mi sopportavo, quando stavo con lui.

Era una di quelle persone che, almeno una volta nella vita, va guardata negli occhi.

Io non ero il suo migliore amico perché lui era migliore di me. Era un albero, un baobab (ecco il perché del suo soprannome) che resisteva al calore del sole e regalava agli altri la freschezza dell'ombra. Ravenna era troppo magra per le sue ambizioni, troppo piccola per le sue radici.

Tiziano Ferro, Salutandoti affogo

▶ **PLAY**

London School of Economics and Political Science. Kevin affidò il suo futuro a questo nome, per me complicato e lontano.

Partì rassicurando tutti che sarebbe tornato.

Non riuscì a convincermi.

Quel giorno capii che nei rapporti non esistono garanzie o regole da seguire, che si è costretti a inseguire quando si è quelli meno forti. Mi confessò che lo fece anche per non rivederla più.

«Mi cercherà e mi apprezzerà appieno solo quando non mi avrà più a portata di mano. Parto anche perché questa piazza rimarrà sempre la stessa, e io non voglio fare la sua stessa fine.»

S'interruppe per qualche secondo, mi guardò negli occhi ed esclamò: «*Spread the love!* Tu ne sei l'esempio perfetto, dai amore a tutti quanti. Mi piacerebbe essere così. Vorrei tanto essere un amico come te».

Un sorriso genuino mi travolse il viso.

Nesli, Noi

▶ **PLAY**

I bei momenti non li senti quando li vivi, ma quando li rimpiangi. Quando Kevin mi scrisse questo messaggio, era uno di questi momenti:

"Al di fuori di me, piove tutto intorno, piove nel volto di ogni persona che mi circonda, nella paura di quello che sarà. Piove anche dentro, la pioggia e io siamo una cosa sola. Passa a prendermi, anche se piove pure da te, perché so che porterai il sole. Tu passa anche solo cinque minuti. Ti aspetto qui, nella piazza da cui sei fuggito. Ti aspetto perché tanto non smetterà di piovere. (Ti prego, non odiarmi.) Ciao."

Mi hai chiesto di non odiarti, ma io non so nemmeno cosa sia l'odio.

Penso che "odiare" sia una parola enorme. Penso che si possa non tollerare ma che non si possa arrivare a odiare, e penso che l'essere buoni dipenda dai punti di vista. Io credo nelle persone, nei gesti, credo che bisogna bastarsi per stare bene con un'altra persona, perché non esistono gli incastri perfetti.

Noi non siamo puzzle, possiamo perdere i nostri pezzi ovunque e provare lo stesso a essere completi. Possiamo essere giusti nel posto sbagliato.

Possiamo.

Credo in chi sbaglia pensando di fare la cosa giusta,

credo in chi si ricrede, credo in chi lotta per le sue idee, per le sue scelte e credo anche che, se la vita non ti soddisfa, tu possa cambiarla, come i jeans che dopo un po' stanno stretti, e credo in chi ha il coraggio di buttarli, non in chi sceglie di dimagrire per paura di reagire. Perché non è sempre colpa nostra, non è colpa dell'amore, ma di chi ci fa del male. Io credo che, quando non sai rispondere a certe domande, forse non sei ancora pronto per le risposte, anche se non puoi stare immobile, non puoi attendere che sia un numero a decidere il tuo turno.

Penso che gli esami di coscienza siano i veri esami di maturità, che nella vita bisogna essere maestri e non professori. Io credo in chi ama senza vergogna un bianco, un nero, una donna, un uomo. Perché al di là della provenienza, del sesso, certe persone ti insegnano ad amarti semplicemente facendoti sentire migliore.

Jovanotti, A te

▶ **PLAY**

Per me Ravenna è una donna bellissima piena di difetti, di vuoti, ha l'arroganza di conoscere tutto e la superficialità di adeguarsi alle mode. Qui si vestono tutti allo stesso modo, amano tutti allo stesso modo, si divertono tutti allo stesso modo, scrivono tutti la stessa descrizione nell'immagine di profilo.

Questa città si è arresa anni fa, perché stanca dentro.

Mi ricorda quelle persone tristi che rispondono "sto bene" per abitudine, perché lo sono state un tempo.

Mi trovo in difficoltà quando mi chiedono "che fai stasera?". Non so mai che rispondere.

La gente pensa che andare al mare sia la soluzione ma, dopo due volte che ci vado, mi sono già stancato. Non ho mai capito chi viene qui a fare una vacanza, chi va sempre negli stessi locali il sabato sera e si lamenta dicendo "lì ci vanno solo i bambini...". Chi passa interi pomeriggi davanti a un bar a parlare della vita degli altri, ragazze che si spogliano sul web per avere più "mi piace", saranno le stesse che non esiteranno a farlo in futuro per ottenere un lavoro.

A Ravenna la gente si droga per noia. Ormai lo fanno tutti. Sedicenni che preferiscono la cocaina al calcio, che restano a casa a fumare da soli e non escono con gli amici se non c'è da fumare. Non hanno argomenti, solo sesso e legalizzazione. Il loro sogno è poter coltivare una pianta nel giardino di casa, senza che nessuno faccia storie, e non coltivare una passione.

Qui molti esistono, pochi vivono.

Sarà che mancano i valori, che non c'è un'informazione adatta, che sin da piccoli ci hanno detto che la droga uccide, sbagliando. Perché non è così. La droga uccide lentamente e tutti voi ve ne state andando.

Mi guardo attorno e non c'è più nessuno.

NON DIRMI CHE SARÀ PER SEMPRE,
DIMMI SEMPLICEMENTE A DOMANI,
MA DIMMELO SEMPRE.

Lucio Dalla, Canzone

▶ **PLAY**

Linda amava scrivere le lettere, perché non si usava più. Così le scrissi anch'io.

"Ma quanta insicurezza c'è nella domanda 'Mi ami?'? Ne abbiamo passate tante a causa di chi ha visto solo un colore e non un insieme. Alcuni si sarebbero già lasciati, altri no. Ma noi non abbiamo nulla a che fare con loro. Certe volte provo a spiegartelo ma non lo capisci. È come se volessi l'amore che non hai mai avuto, ma che hai visto vivere alle tue amiche che però oggi sono single. Io questo non te lo posso dare, perché sarei falso, prevedibile, ipotizzabile. Ho un'opinione diversa, io credo nella stabilità, nella fiducia, negli spazi che non dobbiamo invadere ma includere.

Amare secondo me non è appoggiarsi a qualcuno, come si fa con la testa sulle spalle di chi ci è vicino, e nemmeno eleggere un punto di riferimento con continue dichiarazioni, ma restare in piedi sulle proprie gambe senza avere il timore che quel qualcuno un giorno si possa spostare, seguire i propri passi senza scegliere una via, perché sarà il cuore a scegliere la meta. Diamoci la libertà di fallire perché solo chi è libero può farlo. Le grandi opere, i grandi proclami, lasciamoli agli altri, affonderanno come il *Titanic*.

Come puoi pretendere che io possa dirti 'dài, coraggio, la vita continua...' se tu prima non lo fai con te stessa? Devi smettere di criticarti, perché le critiche non sono mai costruttive e io non sono un salvatore, una fiala di morfina, non voglio fare da sonnifero ai tuoi dilemmi se tu per prima non cercherai di sognare con la consapevolezza però che i sogni non si realizzano dormendo. Ai miei occhi non valgono nulla tutte queste coppie, tutti questi cuori, tutti questi annunci, destinanti all'esilio insieme ai film di Moccia. Prima di loro qualcuno ha amato allo stesso modo, ha già segnato quel percorso, si è già specchiato in quelle vetrine pensando 'siamo bellissimi'. Un amore non si vive con la speranza che cresca, perché crescere è una scelta, e io ho scelto te. Se non facciamo nulla per noi quando siamo con noi stessi, come possiamo pretendere di fare qualcosa per noi? Se non camminiamo sulle nostre gambe, non sarà nostro il cammino, ma di altri. Tu sogni un lieto fine, io non voglio nessuna fine.

Non dirmi che sarà per sempre, dimmi semplicemente a domani, ma dimmelo sempre."

Antonio

Coez, Siamo morti insieme

▶ **PLAY**

"Credo che tu un po' abbia sminuito i miei pensieri. Quale amore più di moda o già vissuto potrebbe anche solo minimamente essere meglio del nostro? Se davvero volessi quello che vivono o hanno vissuto le mie amiche, se davvero io pensassi che ci siano tutti questi problemi, non credi che ti avrei già mollato? Non credi che avrei già dato ascolto da un pezzo a tutte quelle parole? A partire dai miei genitori, per arrivare alle mie amiche o ai conoscenti. Non credi che avrei pensato: 'Cavolo, questo non è quello che voglio. Non ne vale la pena'? E invece no, credo che l'amore sia ripetere ogni giorno le scelte che si sono fatte, perché questo è quello che vogliamo, perché ne vale la pena. Le mie non sono richieste di regali, messaggi romantici o mille altre futilità, non ero così prima di incontrarti e non lo sono neanche adesso. Io non ti ho chiesto questo. E non voglio camminare sulle mie gambe, ma sulle nostre, in modo che se io mi dovessi spostare saresti costretto a farlo anche tu, nella stessa direzione. Ma quanta insicurezza c'è nella domanda 'mi ami'? D'ora in poi non te lo chiederò più. Ti chiederò 'ti amo?' e tu dovrai rispondere 'sì, sempre e comunque nella stessa direzione'."

Linda

Lucio Battisti, 29 settembre

▶ **PLAY**

"Era l'inverno del 2011, via Mazzini. Un uomo con una telecamera e una donna con delle carte in mano si avvicinarono a me e alle mie amiche, era passato da poco il 14 febbraio.

'Che cos'è per voi l'amore?' ci chiesero.

Le mie amiche furono felicissime di partecipare, si passavano un enorme peluche a forma di cuore rosso ogni volta che toccava loro rispondere.

Io non c'ero. Ero lì vicino a loro, ma in un angolino buio, dove la telecamera e quel cuore rosso non potevano arrivare. Non volli partecipare, non avrei saputo cosa dire. Non volli pronunciare quella frase fatta sull'amore, io allora non sapevo cosa fosse. Non lo sapevo neanche l'anno seguente, e neanche quello dopo ancora. Ho dovuto aspettare quasi fino all'estate del 2013, con un dolce intermezzo, che è stato quel sorriso nella primavera dello stesso anno. Ecco, lì ho capito che cos'è l'amore, sei tu ad avermelo insegnato. Questa è la verità e quella di via Mazzini non è una storia inventata. Se mi rifacessero quella domanda in questo preciso istante, non saprei ugualmente cosa rispondere. Ma il mio pensiero, senza neanche rendermene conto, andrebbe a te..."

Linda

Ellebi, Rose Nere (Cover)

▶ **PLAY**

Tu non mi dicevi "chiamami", tu dicevi "*call me*".

"Esistono distanze che si possono colmare con il sentirsi per telefono."

Dicevi così: "Con il sentirsi per telefono".

Tu avevi capito subito quanto eri importante per me e questo mi preoccupava. Avevi capito la strada senza che te la dicessi, che mi bastava sentire la tua voce per dimenticarmi delle lunghe file e le sale d'attesa. Ci scambiavamo le cose al punto di non trovare più la differenza. Salvavo le tue note vocali come faceva mio fratello con i vinili dei De La Soul, salvavo tutti i tuoi messaggi perché sapevo che li avrei ricordati nei giorni più neri. Speravo di restarci sempre nella tua bacheca, come le notizie sponsorizzate, che se tu avessi avuto la possibilità di leggere il mio stato d'animo avresti letto la data del nostro incontro vicino a "modificato".

«E se al posto di "sta scrivendo..." mettessero "sta sorridendo?"»

«Io sorrido, ogni volta che mi scrivi, ti basta?»

«Mi basti.»

Nico Stay, Dead Pony

▶ **PLAY**

Io ero un insieme di manifestazioni esteriori che non riuscivo a nascondere. Non riuscivo a smettere di pensarti. Il tuo nome diventava un'eco nella mia testa: "Linda... Linda... Linda... Lind... Lin".

Io nei miei sguardi provavo a metterci un sorriso.

"L'avrà notato?" pensavo con gli occhi fissi sul lampadario. Immaginavo le tue impronte su di me, pensavo che avrei voluto vivere altre vite e non perderti in nessuna, nemmeno per un secondo.

"Perché sto sorridendo?" mi chiedevo e, quando mi tornavi in mente, sorridevo più forte.

Come quando trovo le cose che cerco da giorni negli angoli delle borse, nelle viscere dei cassetti, alla fine dei discorsi, in fondo alla strada. E, in fondo a quella strada, c'eri sempre tu.

Avevo voglia di vederti, di correrti incontro, come quando le automobili sembrano guidate da fuggiaschi e il semaforo è sempre giallo.

«Tu sbagli» mi hai detto.

«In cosa, scusa?»

«Sbagli ad aspettarti sempre qualcosa.»

Io non mi aspettavo nulla, io ti aspettavo, nulla. Come la gente che ha freddo e danza saltellando alla fermata del bus.

«Che numero aspetti?»
«Il due» che si pronuncia "tu" in inglese.
Prima di te, solo il mio letto era l'unico luogo in cui sarei rimasto per sempre.
«Com'è la ragazza dei tuoi sogni?» mi hai chiesto.
«Non lo so, non lo so più da un po'...»
«Come non lo sai? Guarda che non mi offendo, almeno dimmi se in qualcosa le assomiglio...»
«So solo che tu sei meglio.»
«E perché, scusa?»
«Tu sei reale.»

Jovanotti, Baciami ancora

▶ **PLAY**

"Da quando ci sei, il doppio di sei è siamo e la metà di due non è uno ma niente."

Rimasi in silenzio. A un uomo innamorato mancano sempre le parole, credo che Dio abbia fatto i sorrisi per questo. Era bello il tuo sorriso quando ti facevo ridere e ti guardavo come se non avessi mai visto niente di più bello.

Smetti di chiederti che ore sono quando hai vicino qualcuno a cui poter dire liberamente quanto sei felice.

"Gli uomini hanno inventato i cellulari per impedire alle persone di guardarsi negli occhi."

Linda non portava mai l'orologio. Nei primi mesi raramente vidi il suo cellulare, lo lasciava dentro la borsa. I suoi occhi erano stupendi, il posto più bello in cui ero stato, ricordavano la Corea di Hiddink, quella che arrivò terza al mondiale del 2002, stupendo tutti.

"Sono una ragazza fortunata" mi hai detto infine e questa volta avevo qualcosa da dire anch'io.

"Mai quanto me che ho incontrato te."

Il mio Samsung non lo tiravo mai fuori perché era vecchio, superato, e mi vergognavo. Lei veniva da una famiglia di ceto sociale medioalto, suo padre insegnava alla facoltà di Farmacia, la madre invece era avvocato. Aveva un fratello minore, con il quale non aveva mai avuto un buon rapporto. Non parlava mai di lui, un po' come se non esistesse. Non ero l'unico a vergognarmi, lei aveva diciannove anni ed era vergine, in una comunità che fino a quel momento non le aveva dato la possibilità di conoscere un ragazzo paziente che non la facesse sentire in colpa.

«Farlo per soddisfare le voglie di chi non sa aspettare è puramente sesso. Io sono disposto ad attendere anche mesi se ne avrai bisogno, perché noi due siamo capaci di fare l'amore con gli occhi.»

Rimase in silenzio. A una donna innamorata mancano sempre le parole, loro preferiscono le attenzioni.

Non abbiamo parole per descrivere i sentimenti, non conosciamo nomi sufficienti. Non sappiamo descrivere un sentimento allo stesso modo in cui siamo capaci di descrivere un oggetto o un'azione. Un motivo forse ci sarà, non credi? Forse perché le parole restano tali se non sono seguite dai gesti.

Ho imparato che le persone dimenticano quello che dici, ma non dimenticheranno mai come le hai fatte sentire.

Linda non aveva avuto tante relazioni importanti, però era stata male per amore. Un amore per cui si era ostinata a ingannarsi, a raccontarsi bugie, pensando di poter sopravvivere alle sue mancanze, sperando di poterlo correggere. Aveva conosciuto qualcuno che non poteva avere vicino e che non voleva tenere lontano. Quelle persone che siamo costretti a incontrare tutti, prima o poi, perché servono a farci crescere, a farci capire che in amore non vince chi fugge perché il mondo è tondo.

«Sono pazzo, vero?» le ho chiesto un giorno.

«Perché, scusa?»

«Io, ogni volta che vedo un ragazzo che ti guarda, vorrei strappargli gli occhi.»

«Grazie.»

«Che ho fatto stavolta?»
«Se mi ami, hai fatto tutto.»
E lo pensavo anche io, ma le sue amiche non la vedevano allo stesso modo.
A loro non piacevo. In modo particolare, a Federica.
«Linda, a me quello non piace proprio. Si capisce subito che non ha un futuro, che lavoro fa? Io fossi in te starei attenta, sai benissimo che non sono razzista, sono semplicemente una tua amica. Dai retta a tua madre.»
«Tu non sei me, ma sei una mia amica, prima di giudicarlo dovresti conoscerlo.»

Lenny Kravitz, Again

▶ **PLAY**

Una sera ho scritto ciò che pensavo su un foglio che poi ho attaccato al muro di camera mia.

"Ma davvero voi giudicate le persone che non conoscete? Con quale criterio? Quindi io non sono alla vostra altezza perché non indosso vestiti firmati e non spendo cento euro a weekend? Io proprio non capisco, ma che te ne frega se compro i vestiti al mercato o se li prendo alla Caritas? Se il mio telefono è un 3310 o un iPhone 5? Se sono nero o sono bianco, se sono magro o sono robusto, se sono cinese o giapponese? Ma sei serio quando m'incroci per strada e pensi 'che brutte scarpe', solo perché hai quattrocento euro di roba addosso pensi di essere meglio di me? Tu quando vai a dormire ti chiedi 'come mi vesto domani?'. Io quando vado a dormire mi chiedo se sono felice."

Le luci della centrale elettrica, Le ragazze stanno bene

▶ **PLAY**

"Antonio fu vero amore. Uno di quegli amori che non si dimenticano, che ti distraggono quando sei a fare la spesa, quando devi studiare, che rimangono dentro come le cose essenziali per vivere. Non perché fu una scelta sbagliata, come si dice del primo, ma perché quello era veramente l'amore della mia vita, uno di quelli che aspetti e non capisci e cerchi nei libri di filosofia, nelle più belle poesie di Saffo, di Dante, di Petrarca, nelle canzoni di Battiato. Uno di quegli amori che rendono dolce lo studio per la maturità, dove la prima notte insieme è veramente la notte prima degli esami, con il quaderno di letteratura che parla di Leopardi, di fianco, sul comodino..."

Linda

Booba, Avant de Partir

▶ **PLAY**

Su quel muro di mattoni industriali c'era scritto "*please don't leave me*". Sui cancelli c'erano due lastre di ferro con sopra il cartello "lasciare libero il passaggio". Andavamo spesso alla Darsena, di notte lì non passava quasi nessuno, era tutto abbandonato e chi ci aveva abbandonato credeva che il nostro amore non fosse di nessuno.

«La parola "comete" non è composta, non ha altri significati, è semplicemente uno specchio» dissi fissando il cielo.

«Ma tu sei sempre così?»

«Tu sei sempre con me?»

Sembrò contenta della risposta.

«Ricordi quella sera che siamo stati all'Arteria e il buttafuori aveva perso il timbro?»

«Sì che ricordo. Per farci uscire utilizzò quello dello staff con scritto "direzione", perché me lo chiedi?»

«Perché quella mattina in stazione, mentre dormivi, mentre aspettavamo il treno, mi sono chiesto spesso se era destino, se sotto ci fosse qualcosa.»

«E cos'hai capito?»

«Che sotto c'era la nostra pelle, e sopra una direzione.»

Coez, Vorrei portarti via

▶ **PLAY**

«La nostra storia ha come colonna sonora la suoneria del mio cellulare. È vero, Antonio?»

Tu ti eri fissata con Coez, ma io avevo scelto una canzone di Vasco Brondi che però ascoltavamo poco perché probabilmente non ne avevamo il tempo. Non probabilmente, era proprio così.

«Amo come ti inumidisci le labbra prima di parlare, te l'ho mai detto? Sotto le tue coperte, sotto il peso degli stessi problemi a parlare di quando ancora potevamo girare in centro, fatico a ricordare chi ero quando ancora il nostro amore non esisteva. Tu, Antonio, ci riesci?»

Abbracciami, non pensarci più, pensiamoci.

«L'importante è essere felici, non esserlo con qualcuno» ti ho detto un giorno.

«E quando lo sei con qualcuno?»

A questa domanda non sapevo rispondere, sorridevo, quello sapevo farlo benissimo.

«Comunque capisci di stare bene con qualcuno quando riesci a starci in silenzio senza sentirti in imbarazzo.»

«Per me noi passiamo più tempo in silenzio perché tutte le cose ce le diciamo su WhatsApp prima di vederci.»

«Non credo proprio, ti sbagli.»

«Dimmi, io cos'ho in più delle altre?»

«Solo tu hai gli occhi verdi.»
Ultimamente tua madre ti chiama sempre, ama interromperci: «Linda, è da un'ora che ti chiamo, dove sei?».
In un abbraccio.
«Anto, non pensarci più, pensiamoci...»

Kevin Sharp, No body knows

▶ PLAY

Mi accorgo dell'effetto che mi fai, quando mi scrivi "vado a dormire" mentre vorrei che restassi. Mi accorgo che una smorfia cambia le conversazioni, che ora sei nella mia testa, nell'area dedicata ai rapporti speciali. Ti porterò sempre con me anche se ti conosco da poco, perché per merito tuo è tutto nuovo, mentre nella vita di solito è tutto da rifare. La mia sta cambiando argomento, sta voltando le spalle a chi me le ha voltate, a chi ha saputo fare a meno di me. Perché quando sono con te è come quando non si vuole che il tempo passi e si continuano a bere le ultime gocce rimaste sole in fondo al bicchiere. È l'entusiasmo di ricevere una buona notizia negli ultimi secondi di una conversazione dalla cabina telefonica. Io le uso ancora, per scriverti i messaggi anonimi in maiuscolo.

Siamo come quelle opere d'arte che senza un titolo non avrebbero senso. Come quelle canzoni che hanno un titolo ma parlano di tutt'altro. Forse per questo ci definiamo "diversi". Che poi cosa sono le coppie miste? Forse intendono che siamo misti di sentimenti.

Le mostre ti ricordano i cimiteri. "Le gallerie più belle sono le strade, non vedi quante opere d'arte ci sono?"

Preferivi piazza Bellini e le salite di Napoli ai musei. Da quando vivi dentro di me, sono felice, perché non può esistere un presidente ricco in un paese povero.

"Chi vive di vita propria un giorno perderà la proprietà."

Come se la nostra esistenza fosse un immobile in affitto, un contratto a tempo determinato. Sei un colore caldo, un numero primo.

Amo il fatto che non mi fai mai finire i discorsi, m'interrompi prima e te ne vai, come quando ti ho scritto "io con te non sto bene..." e te la sei presa. Ti sei presa la mia vita.

Io al tuo "vado a dormire" avevo risposto "io con te non sto bene, perché senza te non ci riesco a stare", ma stavi già dormendo.

Dovrò aspettare domani, non so se l'hai letto, non posso vedere il tuo ultimo accesso. Non posso scriverti altro, perché tua madre potrebbe controllarti il telefono.

Se sei ancora sveglia, guarda fuori dalla finestra, hai visto quante opere d'arte ci sono?

Io ti aspetto. Mamma diceva che "ti aspetto" è una promessa bellissima.

Io tua madre non l'ho ancora vista, la donna che ti ha messa al mondo, per me è una sconosciuta. Non l'ho nemmeno mai incrociata per sbaglio, conosco solo il modello della sua auto, un'Audi A3 nera, perché all'inizio del nostro rapporto, quando ancora non sapeva niente di noi, ti passò a prendere nella mia via, convinta che fosse la casa di un amico con cui studiavi per la maturità, parcheggiando a pochi metri dal mio cancello. Io non vedevo l'ora di conoscerla mentre immaginavo come mi sarei presentato un giorno.

Guardo dentro tutte le Audi nere quando cammino sui marciapiedi, quando al McDonald's in via Trieste mi siedo con le spalle alla fila e lo sguardo rivolto alla vetrata e a ogni morso alzo la testa, quando vado a fare la spesa, quando attraverso la strada, perché vorrei tanto guardare tua madre negli occhi e capire, non so cosa di preciso, ma capire. Perché tutto questo dolore non ha senso, tutto quest'odio nemmeno. Perché so per certo che, anche se non mi ha mai visto prima, mi riconoscerebbe, lei capirebbe chi sono all'istante, perché tu mi somigli. Solo la geografia ci separa.

Non siamo dello stesso colore, ma siamo dello stesso amore.

Jovanotti, Un'illusione

▶ **PLAY**

"Ciao prof, sono Linda. Quello che aspettavamo è arrivato. Adesso ti scrivo da donna, se è quello che sono riuscita a diventare, ti scrivo da donna innamorata. Lui e i miei genitori, per spiegarti la situazione, non si sono mai capiti, perciò da tempo dobbiamo nascondere la nostra relazione. Vorrei stargli vicino come lui si merita ma non posso, vorrei alleviare ogni sua preoccupazione, ogni difficoltà che incontra, ma non ne ho la possibilità. Incontrarlo è ciò che di più bello mi sia capitato. È semplicemente straordinario, per quella sua capacità di commuovere tutti i giorni, per la sua straordinaria forza di volontà, per quel tanto da dare che c'è in lui, per quella voglia di non fermarsi mai e di parlare al mondo. Oltre ad amarlo con tutta me stessa provo per lui una profonda ammirazione che spesso mi lascia senza parole, mi ha insegnato ad amare e ad apprezzare le piccole cose della vita, le cose piccole come me."

V. Kanye West, Runaway

▶ **PLAY**

"Il pensiero di noi insieme mi sta dando una forza che nessuno si sarebbe mai immaginato. Ripenso sempre a quelle scene, a quelle notti in cui mio fratello andava a dormire nel letto con i miei e io chiusa in camera mia a piangere. C'eri tu a darmi forza, ci sei ancora. Forse tutto quell'odio che provano non è nei tuoi confronti, ma nei miei che ho scelto te."

Linda

Stokka e Madbuddy, Fragile

▶ **PLAY**

Il tuo più grande difetto era l'ottimismo, il tuo credere nelle cose. Detestavi mollare le persone.

«Un giorno capiranno, Anto, abbi fede.»

Ti amavo perché, quando smettevi di parlarmi, la mia mente vagava, immaginavo le nostre future conversazioni, i nostri passi, tua madre che cucinava e tuo padre seduto a capotavola che mi chiedeva se ero d'accordo con le ultime dichiarazioni di Balotelli, provocando in me una leggera agitazione.

Come quando, davanti al computer, tra gli status di Facebook lessi "se tu ci sarai io ci sarò" e pensai "io ci sarò se tu lo vorrai". Nella mia immaginazione noi saremmo stati così, come quella frase.

Anche se non lo ammettevi, si vedeva che eri stanca per tutte le volte che i tuoi parenti avevano provato a umiliarti a causa mia.

«Io ho paura di non essere all'altezza dei tuoi sforzi.»

«Ma che dici?»

I miei sforzi sembravano il tempo che non s'impiega mai come si è immaginato. Avevo paura, perché le lunghe attese ti danno la possibilità di tornare sui tuoi passi.

«Oggi eravamo al parcheggio, quello di fronte a via Fiume Abbandonato. Mia madre scendendo dalla macchina ha indicato il primo vu cumprà e divertita mi ha detto: "Guarda, c'è il tuo ragazzo!"». Provavo a non dare troppo peso alle tue parole, provavo a evitare ogni angoscia, a concentrarmi solo su di te.

Quando parlavi con le mie espressioni, sorridevo, perché prima di conoscermi dicevi "ciao" e solo dopo hai iniziato a dirmi "a domani...", "a presto...", come se fosse stato un invito, perché io ci sarei sempre stato se tu l'avessi voluto.

«Perché i genitori non capiscono che due ragazzi diversi possono stare insieme?»

«Se noi fossimo uguali, staremmo insieme?»

Brasco, Vagabond

▶ **PLAY**

"Andavamo a vedere le stelle al planetario perché a casa tua non si poteva e la mia non aveva il terrazzo. Mi tenevi per mano come si fa con i bambini testardi e io non la lasciavo come chi va all'estero e mangia cibo italiano. Ti lamentavi dei semafori alle undici di sera, degli automobilisti che non avrebbero dovuto avere la patente, dei parcheggi a pagamento e delle buche nelle strade di questa città. Tra una pausa e l'altra, trovavi pure il tempo di baciarmi.

Guardavamo davanti a noi come le macchine parcheggiate nei sensi unici, tu eri parcheggiata benissimo, vicino a me. Divoravi ogni cosa, ogni problema, ogni dubbio, tutto spariva, come quando è notte e si correggono i rumori. Coscienti del fatto che avremmo potuto essere molto di più, come quando è freddo e il fiato forma nuvole di condensa. C'erano le domande e le risposte.

Sorridevo, perché avremmo fatto di nuovo l'amore, perché mi ricordavi le partite di calcio tra amici, le innumerevoli volte che ho saltato sul letto dei miei genitori a loro insaputa. Mentre leggi, ti chiederai perché parlo al passato, semplicemente perché mi è più facile immaginarlo. Che poi c'è chi dice che, quando ami, il tempo corre, però io non sono d'accordo, non lo sono mai stato perché, quando stiamo insieme, il tempo si ferma, rallenta, prende una pausa, come quando ascolti le canzoni che ti riportano con la testa da un'altra parte, in un'altra era, galassia. Quando hai gli occhi chiusi e non sai nulla di domani. Sei una di quelle frasi che quando le leggi hai la sensazione di non aver mai trovato parole così perfette.

Sto bene da quando mi è possibile pensarti, da quando non ho parole per descriverti, da quando ti chiedi perché passo ore a guardarti e io mi chiedo perché non riuscivo a vederti.

Sono sorpreso dal sollievo che provo. Perdere la testa per una donna come te è sempre la cosa giusta da fare.

E chissà se controlli i miei ultimi accessi su WhatsApp, se anche tu hai fatto venire il mal di testa alle tue amiche parlando di me, se pensi al nostro nuovo incontro. Chiudo gli occhi e mi viene in mente *Amore e Psiche*. Due amanti come noi, con le ali, tutti nudi che stanno per baciarsi, ma non lo fanno perché nel neoclassicismo non si rappresentava la passione, ma la perfezione di un momento statico. Un giorno Psiche fu rapita dal dio Amore, lui la portò nel suo bellissimo castello, senza mai farsi vedere in volto. La prima notte fecero l'amore con estrema passione, lei lo toccò, ma non gli vide il viso. E così per molte altre notti. Le sorelle, invidiose di Psiche e del suo amore, suscitarono in lei la curiosità di vedere in faccia il suo amante. Lei si spinse verso il ruscello dove il dio era solito fare il bagno, vide che era un giovane dalla straordinaria bellezza. Amore si accorse di essere spiato dalla donna e volò via. Psiche rimase sulla riva del ruscello, disperata. Dovette superare innumerevoli prove per ricongiungersi ad Amore e, nella scultura, io m'immagino sia rappresentato il momento del loro nuovo incontro."

Onemic, Il mare se ne frega

▶ PLAY

Come tutti i martedì, dovevamo incontrarci ma, quel mattino piovoso, restammo a casa. Ci collegammo a Skype per vederci comunque.

Mancava una settimana all'orale e così aiutai Linda a ripassare. Lei era preparata, voleva uscire da quell'istituto con un voto che le avrebbe permesso di trovare un lavoro all'estero, rendendo orgogliosi i genitori esigenti.

Parlammo meno del solito e, dopo una lunga pausa, mi salutò. Ricordo che per qualche istante la guardai dritto negli occhi, dietro gli occhiali da miope che indossava di rado. Il suo sguardo era distaccato, uno di quegli sguardi che annunciano la fine di molte cose. Mosse un angolo della bocca verso l'alto e, con un filo di voce e un tono che non le avevo mai sentito, pronunciò queste esatte parole: «Sono arrivati i miei, ci sentiamo dopo, devo andare, poi ti spiego».

Provai a replicare, ma non me lo permise, era già offline.

Nell'aria c'era profumo di pioggia.

Linda sparì per le restanti quattordici ore, non rispose a nessun mio messaggio, né quel giorno né il successivo. Ogni volta che il telefono squillava, il cuore batteva a mille.

Alla fine mi feci forza e provai a chiamarla.

Il telefono squillò a vuoto, Linda non rispondeva. Provai a richiamarla e questa volta lei spense il telefono, rendendo inutili i miei tentativi successivi. Pensai che in sé quella fosse già una risposta, ma non riuscivo a farmene una ragione, perché non ne aveva motivo, perché una vita senza di lei, in quel momento, mi pareva un posto dove non ero capace di arrivare, un luogo che immaginavo a fatica.

"Tutto bene? Fatti sentire che poi mi preoccupo. Buonanotte."

Quando, poco dopo, lessi "Linda" tra i messaggi ricevuti, mi tranquillizzai, come quando la squadra del cuore segna il gol del pareggio all'ultimo minuto nel derby. Esitai per qualche centesimo di secondo, poi aprii il messaggio:

"Ciao Antonio, piacere Cristina, noi due non ci siamo mai presentati e credo sia meglio così. Da quando ti frequenta, Linda non studia più ed è cambiata parecchio, tra un po' ci saranno gli orali e so già che a causa tua prenderà un brutto voto. Mi sono informata sul tuo conto e mi è giunta voce che sei una persona poco raccomandabile, tu non meriti mia figlia, lei merita molto di più, cancella questo numero e dimenticati di lei..."

Volevo piangere, volevo urlare, ma mia madre mi avrebbe sentito, in casa c'erano ospiti. Poco dopo digitai nuovamente il numero, ma questa volta non rispose nessuno.

Mi arrivò invece un altro messaggio:

"Non chiamare più questo numero, fai come ti ha detto mia madre. È finita. Linda."

Risposi: "Il nostro amore non si basa sui meriti ma su ciò che ci rende felici, e Linda mi ha sempre detto di esserlo".

Sapevo che quel messaggio non l'aveva scritto lei, Linda non metteva mai un punto alla fine.

Dente, Saldati

▶ **PLAY**

"Manca sempre qualcosa. Mi mancano le cattiverie che ti ho detto e le volte in cui ti ho detto che non le pensavo. Mi manca l'avere una risposta a tutto. Mi manca possedere la ragione profonda del mio essere, mi manca poter decidere liberamente ciò che più mi realizza, ciò di cui è fatta la mia esistenza. Mi manca avere una relazione normale, un lavoro che rispecchi la mia anima, mi manca fare l'amore dove voglio, senza paura, guardarti e pensare 'vorrei che ti vedessi come ti vedo io'. Mi mancano i mezzi per andare via. Mi manca guardare il vuoto per ore dal mio letto e pensare 'devo prepararmi, tra un po' arriva'. Quando mi manchi, penso alle cose di te che non mi mancano, per sedare il dolore, ma mi manchi sempre di più."

Non ho mai inviato questo messaggio.

Soprano, Je serai la

▶ **PLAY**

Eravamo seduti davanti al liceo classico.

Io ero convinto che l'amore facesse schifo, tu che fosse l'unico strumento capace di trarre in salvo il mondo, il filo indissolubile su cui bisognava costruire la propria esistenza.

"Chi non ha mai amato, non ha mai vissuto..."

Quando ci siamo conosciuti, facevi discorsi filosofici: "Vivere non è solo respirare, non è solo svegliarsi la mattina e ritrovarsi su un letto la sera. Vivere è un'idea, una risposta, non è volere ma avere".

E quando ti chiesi: «Cos'hai?», rispondesti: «Ho l'amore» riferendoti a me.

La Fouine, Tombe pour elle

▶ **PLAY**

"Ce la faremo anche noi, abbi fede, è una cosa bellissima."

Linda, sei una di quelle persone che ce la fa sempre, che i messaggi li cancella. Io invece li lascio lì, nel telefono, come quelle cose che non si dimenticano, che in realtà dimentichi e poi ricordi, che è ancora peggio, come se il cervello non sapesse dove collocarle. Sei come un cibo speziato che ti si attacca addosso e non se ne va più.

Ti amo perché quando ti scrivo "sei bella" tu rispondi "meno male che ci sei tu che me lo dici ogni tanto" e io penso "meno male che ci sei tu", perché, quando sei partita per andare dai tuoi nonni, al mio "tornerai?" hai risposto "ci sarai?". Perché non vuoi che mi monti la testa e quando ti chiedo "quanto mi ami da uno a dieci?" rispondi "sei".

Mi hai fatto capire quant'ero stufo di quelle storie d'amore che se non ci si sente per un'ora si è già in crisi. Noi non ci sentiremo per settimane e la crisi sarà solo delle banche.

Stanno ristrutturando palazzo Rasponi mentre quasi tutti gli edifici scolastici cadono a pezzi, gira voce che ci sarà un'imminente occupazione. Io occuperò camera mia la settimana prossima e la pitturerò di un colore che non ti piace, così quando tornerai avremo qualcosa di cui parlare.

"Se qualcuno ti manca e glielo dici, non cambi le cose, a volte bisogna arrendersi all'idea che un amore così bello possa fare male." Dicesti una cosa simile la prima volta che parlammo al telefono. Eri abituata alle delusioni, ai castelli di sabbia. Uscivi da una relazione straziante e avevi solo bisogno di essere ascoltata. Sapevo che tu saresti stata la mia seconda prima volta. Quasi come se il mio passato non fosse mai avvenuto. Molte volte ho cercato di ricordare chi ero prima di conoscerti, ma ho sempre fallito, perché la felicità non è stare bene ma ritornare a stare bene, e in cuor mio sapevo che prima o poi sarebbe successo. E io voglio fare un mucchio di cose con te, anche se un giorno farà male.

Quando ti piace così tanto una persona, poi non guarisci più. Io non voglio guarire, sei la puntura di zanzara che continuo a grattare nonostante mia mamma mi dica di non farlo. Non so scrivere quando si tratta di te, metto un mucchio di virgole, e basta. Non m'interessa se alle tue amiche non piaccio, se non capiscono perché stai bene con uno come me, tutto questo deve piacere a noi, deve farci sorridere.

Che poi tu non sei la mia ragazza ma un concerto dei Queen al teatro Alighieri, un intero disco di Battisti, una passeggiata con Woody Allen. Non saprò mai come fai a farmi star bene con tutti i problemi che ho. Mi mancava la sensazione che si prova quando si è blindati dalla felicità. Mi manchi come il mio letto quando sono a casa dei miei amici e mi tocca dormire sul divano, mi mancano le nostre conversazioni sofisticate.

«Linda, noi non siamo una coppia, basta guardarci.»

«Perché mi dici questo? Io non ti capisco.»

«Aspetta, non fraintendere. Noi due "combaciamo". Come parola mi piace di più, c'identifica, siamo labbra che si separano solo per sorridere. Pensaci, quanti stanno insieme veramente? L'amore è altrove e le coppie sono qui. Basta pensare alle tue amiche, lo vivono come se fosse buttarsi da un aereo in alta quota.»

«Io non ci trovo nulla di sbagliato.»

«Io sì invece, perché amare, amarti, è alzarsi da terra. Io con te non mi butterei mai. Il nostro amore non va buttato.»

Booba, Caramel

▶ PLAY

Sei il mio "mi sono innamorato di lei come un coglione". Quella sensazione inaspettata quando dormi in un lato del letto e arriva qualcuno ad abbracciarti da dietro.

Sei i legami impossibili da spiegare, quelli che sfidano a viso aperto la distanza e le logiche e non si spezzano mai. Le mie mani sul corrimano quando salgo le scale, l'ultimo scalino dopo sette piani, l'ultimo centesimo che mi permette di farti uno squillo, le storie che cominciano come le fiabe "c'era una volta". Le ventitré e cinquantanove, le tasche quando ho freddo, l'ultima ora, l'ultimo amore. Sei le luci rosse delle televisioni spente che illuminano le camere dei bambini intimoriti dal buio, l'autobus che passa ogni dieci minuti, l'amore che si prova di domenica per il pisolino dopo pranzo, le macchinette che accettano i nuovi cinque euro, le sette e venticinque quando mi devo svegliare a e trenta, le cose semplici, lo sconosciuto alla cassa che ti lascia il posto perché hai poca roba, i sorrisi spontanei. Sei l'attimo in cui ti giri e ti accorgi che ti stanno già guardando, l'ultimo banco, un biglietto in prima fila. Il primo bacio del primo amore.

Noi il nostro ce lo siamo dati a Russi, davanti alle poste, dopo una settimana che ci frequentavamo, indossavi il vestito nero della prima volta che ci siamo visti.

Come se tutto fosse già stato scritto e deciso a mia insaputa, come nei compleanni a sorpresa. Mi hai insegnato a baciare le ferite, i nomi dei filosofi e dei fiori. Ad amare il mare e l'alba che è negli occhi di ogni persona, ad affogare le paure e la tristezza nei sorrisi, a essere leggero senza essere vuoto. A non dare ascolto alle persone.

"Per loro il tuo sogno sarà sempre o troppo grande o troppo piccolo..."

Mi hai insegnato che la soluzione non esiste, ma la direzione giusta sì, a percorrere i corridoi più nascosti di me, a camminare perché il tempo non corre quando si ama, mi hai fatto capire che bisogna staccare la spina e spegnere tutte le luci perché non è mai troppo tardi, che bisogna recuperare del tempo per stare con se stessi.

"Stacca la spina della televisione, il buio va affrontato..."

Mi hai insegnato che il silenzio non esiste se si ascolta, che la notte non esiste, perché mezzanotte è già mattina presto.

DiMartino, Cercasi anima

▶ **PLAY**

Non c'è niente di meglio di quello che mi hai dato in questi mesi. Nessuno lo sa perché non lo do a vedere, ma io mi sono sempre sentito debole, ho sempre avuto paura di non riuscire a farcela, di non essere in grado o di non essere all'altezza.

Sin da piccolo ho incominciato a sentirmi un pesce fuor d'acqua, mi vestivo come un barbone perché non c'erano tanti soldi e allora indossavo i vestiti che ormai erano diventati piccoli a mio fratello, che però a me stavano grandi.

"Guarda che sotto sono come te" rispondevo così ai bambini che mi prendevano in giro, a quelli che mi dicevano "tu non puoi giocare".

Giravo con i pantaloni del pigiama sotto i jeans. Erano rosa perché mamma aveva comprato il pigiama lo stesso giorno in cui aveva preso quello di mia sorella. Al supermercato c'era il due per uno e quelli azzurri erano finiti. La prima notte fu orribile, poi mi abituai. Col tempo, Stefi, mia sorella, smise di prendermi in giro e io smisi di piangere, ci vollero mesi.

Tutte le mattine prima di uscire m'infilavo in bagno, fingevo di pisciare e da sotto la cesta dei vestiti sporchi tiravo fuori il mio salvagente. Mamma non mi avrebbe mai permesso una cosa simile. Tutte le domeniche in chiesa, quando si presentava l'occasione, diceva con orgoglio alle amiche: "Antonio lo vesto io!".

Mi avrebbe menato e anche forte se avesse saputo che io volevo essere bianco, volevo piacere alle mie compagne di classe, volevo arrossire ed essere invisibile almeno una volta senza subire ulteriori umiliazioni. Ero un Kinder Bueno.

Arrivò l'estate. Fosse stato per me, avrei continuato con il trucco del pigiama, ma mamma mi costrinse a sostituire i jeans con i pantaloncini, le felpe con le maglie, gli scarponi con i sandali, le bugie con la verità.

Odiavo il mondo, i miei compagni, il caldo, la chiesa, giocare, le bugie. Così mi rinchiusi in me stesso. Non volevo conoscere più nessuno. Mamma se ne accorse e iniziò a portarmi lei al parco, a vivermi più da vicino.

«Antonio, io preferisco stare nella casa popolare, di fronte a quella bella, non il contrario.»

«E perché?»

«Perché? Semplice! Preferisco guardare la bellezza, aprire gli occhi e sapere che dalla mia finestra c'è un mondo meraviglioso che mi aspetta.»

Cominciò a essermi amica, a farmi discorsi che fino a poco tempo prima affrontava solo con gli adulti.

Non capivo tutto subito, ma annuivo.

In quel periodo imparai pure a stare sull'altalena da solo, senza spinta, metafora che però non rispecchiava la mia vita in quel momento. Lasciavo a casa il pallone di proposito, perché mia madre e il calcio erano perfetti sconosciuti e non volevo metterla in imbarazzo, stava già facendo troppo per me.

Un martedì pomeriggio di giugno conobbi Andrea. Ricordo il giorno della settimana perché era l'unico in cui il parco era meno affollato. Fu lui a venire da me.

«Ti va di giocare?» mi chiese. Non lo avevo mai visto prima. Allungò una mano verso di me ma io la lasciai sospesa in mezzo a noi. Avevo paura di essere giudicato. Il mondo me ne aveva già fatte troppo.

«Sto parlando con te.»

«È timido» rispose mamma al posto mio. Poi, rivolgendosi a me, disse: «Non fare il maleducato, presentati e vai a giocare!».

«Non ti ho mai visto qui, come ti chiami?»

«Antonio.»

Gli andai incontro lentamente. Mi prese la mano e iniziò a correre verso lo scivolo. Prima di salire, mi guardò, notò che non mi stavo affatto divertendo e cambiò di colpo espressione, come se avesse fallito un test d'ingresso.

«Non ti sto simpatico, vero? Ieri ho conosciuto dei bambini che non mi hanno fatto giocare, non mi volevano nemmeno in porta. Io non sono cattivo. Ma hai paura di me? Non ti mangio mica. Guarda che sotto sono come te.»

Istintivamente il mio sguardo cadde sulle sue gambe, non aveva i jeans, portava anche lui i pantaloncini, proprio come me.

Avevo trovato un amico per la pelle.

Verdena, Trovami un modo semplice per uscirne

▶ **PLAY**

Quando ci penso mi vien da ridere, perché io oggi non voglio essere né più nero, né più bianco, non voglio essere all'altezza, non voglio essere in grado di, io voglio solo essere l'uomo della tua vita.

Non mi pentirò mai di averti amata tanto, di averci creduto nonostante tutte le difficoltà, a partire dai tuoi genitori per arrivare alle tue amiche che pensavano e tuttora pensano che siamo troppo diversi per stare insieme.

Ci sono amori che non importa se finiscono, quello che conta è che siano esistiti. Noi siamo eterni, non ci divideremo perché non ci amiamo più, ma perché chi ti ha messa al mondo non sopporta il fatto che ci amiamo troppo.

Per tua madre resterò un negro, ma per te spero di essere solo occhi neri, gli stessi che conquisti ogni volta che prometti che non smetterai di arrossire. L'amore non conosce barriere, va al di là degli ostacoli, supera i cancelli, penetra nei muri per arrivare alla sua destinazione piena di speranza. Saremo gli ultimi a morire.

Niccolò Agliardi, L'ultimo giorno d'inverno

▶ **PLAY**

Scusami se hai conosciuto il peggio di me, se sono noioso, se ti ho fatta piangere davanti alle tue amiche mentre ero dall'altra parte della città, se attraversi la strada da sola, se rispondo "anche io" quando mi scrivi "ti amo", quando sarebbe più giusto "oggi di più", se non sono l'uomo giusto per tua madre, se ogni mio regalo risulta scontato, se quando facciamo l'amore ti bacio un po' di meno e me ne accorgo solo quando mi chiedi di baciarti un po' di più, se ho sempre la batteria scarica. Scusami se mi fai arrabbiare.

Che da quando ci sei ho imparato ad apprezzare il centro di Ravenna che prima odiavo tanto, a rifare il letto perché ami l'ordine, a fare il caffè perché ti piace il retrogusto che lascia sul palato, a pulire gli occhiali che non usi mai, a essere migliore per te. Mostreremo al mondo che siamo di un'altra generazione, quella prima dei nostri genitori, quando l'amore veniva coltivato perché ad amare erano i contadini.

Scusami se dormi da sola, se quando siamo insieme dormo dalla parte del muro, se quando ti svegli ti do la schiena e non il cuore. Scusami se a volte mi sveglio prima di te a causa dei mille impegni e non posso rifare il letto e farti il caffè. Mi dicevi "la tua pelle è bellissima". Ti addormentavi di profilo in una posizione insolita, portando le ginocchia al petto, con le scarpe ancora ai piedi.

Ti lamentavi dei miei pochi orgasmi, io delle cose che mi tiravi addosso quando non avevi più nulla da dirmi. Avevi l'affanno mentre scopavamo, eri come posseduta. In silenzio a immaginare cose che non sarebbero accadute. Preferivi chiudere gli occhi, senza interrompere il sipario del silenzio, come nei silenzi stampa.

Volevamo cancellare le nostre rispettive cronologie, dimenticarci dei tuoi genitori, formattare la tua memoria interna senza ripensamenti. Pensavo che, se fossi nato io bianco e tu nera, non sarebbe cambiato nulla, ci saremmo amati lo stesso, nella stessa misura, con gli stessi problemi.

«Se noi ci dovessimo incontrare di nuovo per la prima volta, rifaremmo tutto da capo, vero?»

Che quando ti chiesi se esisteva il "per sempre" tu rispondesti "in certi casi esiste solo quello".

Quando mi dicevi "non preoccuparti", io non mi preoccupavo.

Mi chiedesti di prometterci che non ci saremmo rinfacciati nulla. "Chi rinfaccia pianifica... però non fare promesse se poi non le puoi mantenere, perché per la grammatica il verbo restare è all'infinito, ma nella vita vera lo è solo il dolore."

Pianificavo una vita lontano da qui, da questo mondo privo di guide, difficile come le macchine senza servosterzo, tu ti sapevi muovere benissimo anche se non sapevi ballare. Non mi stupiva ciò che provavo per te, ma ciò che non riuscivo a provare per nessun'altra, nemmeno nei miei confronti sentivo tutto quell'affetto, che se ti avessi persa, non mi sarei più ritrovato.

Come quando volevo rinominare il tuo nome nella rubrica e mi venne in mente "Amore".

Dicevi "vado a casa dei miei...", "sono a casa dei miei...", perché quella non la ritenevi casa tua.

Un posto dove il nostro amore non veniva accettato, non poteva esserlo.

Da spettatore assistevo alle tue battaglie, alle lotte con i tuoi genitori, alle menzogne che dicevi pur di vedermi, camera tua era una trincea, mi sentivo in colpa perché avevo frantumato rapporti indissolubili che rendono una vita normale.

"Una madre non si sostituisce" ti ripeteva lei. Restavi in silenzio, come le fabbriche nei giorni festivi, o i cellulari in disuso.

"Lui non è un negro! Ha un nome!"

Quante volte sarei voluto venire a casa tua a salvarti.

"Quella non è casa mia, è casa dei miei."

Io di te amavo ciò che nessun'altra aveva fatto prima per me. Perché quando tua madre ti scrisse che un ragazzo con genitori angolani non poteva essere italiano, rispondesti: "Le radici per un albero sono importanti, ma per me, mamma, restano sempre più belle le foglie".

Odiavi i dispositivi dell'Apple, la tecnologia che avanzava, le coppie instabili sottomesse al digitale.

"Abbiamo solo bisogno d'amore..." dicevi.

Le insegne luminose, i bus notturni, le discoteche aperte anche di domenica, i negozi del centro, le rotonde di Ravenna, le Golden Goose non facevano per noi. Odiavi quando parlavo al plurale, quando pensavo per due.

"Non esistono le coppie, due puzzle che si somigliano non possono legare."

Perché, quando mi dicevi di non preoccuparmi, io non mi preoccupavo.

"Ma la smetti?! Non me ne frega un cazzo di trovarmi un altro che possa piacere a mia madre e alle mie amiche."

Dicevi "il centro del mondo non è poi così lontano se noi siamo qui".

Eri la persona per cui sarei andato dalla mia ex a urlarle "non sei la donna della mia vita!".

Ai tuoi "meriti tutto", replicavo "merito tuo".

Avevi l'affanno mentre scopavamo, dormivi in una posizione insolita con le scarpe ai piedi e le ginocchia al petto, sembrava avessi capito che ti avrei portata via da qua prima o poi, in braccio. Lontano dalla tua famiglia che non ne avrebbe mai accettata una nostra. Come quando un suono metallico ti dice che la serratura è scattata, tu hai fatto lo stesso con la mia vita.

Dicevi "tu hai una pelle bellissima".

Io pensavo "no, tu hai una pelle bellissima".

Perché con il sole, se avessi voluto, saresti potuta diventare come me. T'invidiavo, invidiavo la tua forza, l'amore che provavo nei tuoi confronti, perché io non sarei mai potuto diventare come te. "Che se avessi più tempo per me, lo dedicherei a te" pensavo.

Oasis, Champagne supernova

▶ **PLAY**

"Ehi, Bao! Quindi torni prossima settimana? Ti aspetto, devo dirti tantissime cose. Ho visto Malika qualche giorno fa, mi ha detto che siete tornati a sentirvi, è vero? Tu non cambierai mai, devi fuggire da te stesso per guarire. Comunque Linda non mi ha ancora risposto, sto provando a non pensarci ma è difficile, ciao."

Ci ritrovammo così, io e Kevin, dopo questo messaggio, come se ci fossimo salutati il giorno prima, nella stessa città, nelle stesse strade che avevano cementato la nostra amicizia. Mi stava raccontando dell'Inghilterra, di ciò che aveva vissuto, quando mi suonò il telefono.

Non volevo interromperlo, non volevo essere scortese, la tecnologia lo metteva a disagio. Controllai il display, era un numero sconosciuto.

Mi scusai e risposi. Poteva essere un'offerta di lavoro, forse uno dei tanti curriculum che avevo lasciato non era stato buttato, forse era mio padre con il telefono di mio zio che voleva chiedermi di fargli una ricarica perché lui in quel momento non poteva. Invece no, dall'altra parte c'era una voce femminile, che riconobbi subito, come gli odori familiari, gli odori della nostra vita.

Disse: «Pronto, ti amo?» e chiuse la chiamata.

Riposi lentamente il cellulare in tasca. Kevin riprese a

parlare senza accorgersi di nulla. Aveva così tante cose da raccontare che io sembravo uno spettatore al cinema.

Lo guardavo senza ascoltarlo. Una voce mai sentita prima tuonava forte dentro di me, parole che avrebbero potuto sentire anche dall'altra parte del mondo. Chiusi gli occhi per un istante e provai ad ascoltarle. Quella voce diceva "sì, sempre e comunque nella stessa direzione...".

Nesli, La fine

▶ **PLAY**

"Nonostante tutto l'affetto che provo nei confronti dei miei genitori, penso che prima di qualsiasi altra cosa al mondo veniamo noi, vengono i nostri disegni, le nostre idee, i progetti che condividiamo quando siamo stesi sul letto a fantasticare sul domani che vorremmo costruire. Perché le persone giuste, come tu e io, non hanno attorno qualcosa di più rilevante che le può scindere, dividere, nessuno può classificare un bene così grande.

Un giorno fuggiremo in una dimensione sconosciuta e potremo vivere appieno i nostri momenti, senza pensare oltre, lasciandoci senza fiato ogni volta che faremo l'amore guardandoci. Il nostro sarà un matrimonio frettoloso, quelli dove si riempiono solo i posti in prima fila. Penso a tutto il dolore che ci hanno inflitto e mi dispiace per loro, perché, se i miei genitori fossero stati ciechi, oggi avrebbero capito che noi siamo un paesaggio bellissimo. A volte il poter vedere le cose è un impedimento. Ti amerò sempre, perché sei ciò che vorrei che tu fossi, per i weekend che hai esteso fino al lunedì, perché il mondo ha bisogno di esempi come te, per le notti passate a parlare, con gli sguardi puntati al soffitto alla sinistra della luna piena, piena di noi, nella speranza che il silenzio ci rivelasse qualcosa che c'eravamo persi. Siamo un passo coraggioso per l'umanità, per chi è ancora convinto che sotto quello che si vede non ci sia nulla. Mi vien da piangere quando penso a mio fratello, alle sue parole. Lui non mi è mai stato vicino in questo periodo difficile, mi ha sempre giudicata, ha saputo solo dirmi: 'Perché non fai che dare tormento alla mamma? Almeno una volta nella vita non puoi fare un piccolo sforzo per accontentarla?'.

Ma cavolo! Due fratelli non si dovrebbero supportare a vicenda? In casa, dopo tutto questo tempo, nessuno mi parla, nemmeno mio padre, ma non mi arrenderò, loro non hanno ragione, non ti hanno mai voluto conoscere. Non sanno cosa provo. E credimi, io ci ho provato."

Linda

Bob Marley, No woman no cry

▶ **PLAY**

Io non stavo di certo pensando ai tuoi genitori, a tuo fratello, a tutti i messaggi scritti al tuo numero che però lesse tua madre. Non facevo altro che pensare a noi, a come sarebbe potuta diventare la mia vita se avessi dato ascolto a tutte quelle parole.

C'era solo l'eco di qualche campana lontana e il rombo solitario di una moto che mi sorpassò, di lì a poco. Mi pareva di intravedere i tuoi capelli tra un albero e un altro.

Quella notte facemmo l'amore a lungo. Le nostre voci sbattevano contro le assi della porta, per poi divenire calme, le ombre proiettate sul muro dai fari delle auto sembravano sagome di visitatori sullo sfondo. C'eravamo noi due e la pioggia che frustava l'asfalto. Ti muovevi con cautela, sussurravi all'orecchio il mio nome di battesimo che usavi solo quando eri arrabbiata con me e volevi farmelo capire senza troppe parole.

Eri adirata con il mondo, con l'Antonio che ti aveva confessato piangendo: «Ho creduto che non ci saremmo più rivisti».

Mi strinsi a te con forza, avevi il naso ghiacciato.

Quella notte era l'ultima dell'anno, non ci vedevamo da mesi, i tuoi genitori avevano deciso che saresti andata a vivere per un tempo indeterminato dai nonni. Ma eri tornata a Ravenna per qualche giorno e subito mi avevi scritto un messaggio.

"Domani alle undici davanti alle poste, se tardi ti ammazzo."

Loro non dovevano sapere nulla.

Prima di dormire, ti toccai il braccio e lo strinsi con ancora più forza, posai la mia testa vicino alla tua e dissi: «Fuori piove, dentro pure, passo a prenderti?».

«Cos'è?» mi chiedesti con voce sorpresa.

«Il mio libro, lo chiamerò così...»

«Come mai? Cosa vuol dire?»

Mi voltai verso di te. «Vuol dire che il miglior rifugio dalla pioggia non è un tetto o un ombrello, ma l'abbraccio di qualcuno.»

I tuoi occhi sorridenti illuminarono la stanza. Grazie a quella luce capii che quella notte non era solo l'ultima dell'anno, ma anche quella in cui i nostri odori, le nostre voci si sarebbero unite, la notte che avrebbe abbracciato tutte le altre, compresa quella nel mio cuore.

Esistevamo solo io e te. Diluviava, ma non sentivamo né l'acqua né tanto meno il freddo, come se per un attimo Dio ci avesse concesso una pausa dalle regole del cosmo. Fissavi il soffitto, era il nostro cielo, come quando da bambino, steso sul prato di casa, cercavo le scie che lasciavano gli aerei. Sentivo il cuore battere, passi fitti sulle scale fatte di corsa. Muti come i corridoi delle scuole alla prima ora, solo il vento spezzava il silenzio, spettinava le ciocche di capelli che si intromettono tra gli sguardi. Ricordo il profilo della tua guancia, ogni minimo istante. Non pensavo più "vorrei essere esattamente dove sono", non pensavo più che fosse stata la luna ad aprire nuovi orizzonti all'uomo, ma l'amore, il tuo. Non pensavo più a tutto il male che ci avevano fatto. Non pensavo più. Pioveva, ma erano lacrime di gioia. Non eravamo dello stesso colore, ma eravamo dello stesso amore. Ricordi?

«Quanto mi ami da uno a dieci?»

«Sei.»

«Non sei, siamo.»

Bob Marley, No woman no cry

II PAUSE

«Fuori piove, dentro pure, passo a prenderti?»
di Antonio Dikele Distefano
Oscar
Mondadori Libri

Questo volume è stato stampato
presso ELCOGRAF S.p.A.
Stabilimento - Cles (TN)
Stampato in Italia. Printed in Italy